改訂新版

地域共生論

300人規模のアクティブラーニング

滋賀県立大学地域共生論運営委員会 編

はじめに

　本書は、公立大学法人滋賀県立大学の全1回生約650名が必修とする授業「地域共生論」のテキストです。授業は1限（1時間目）と2限（2時間目）に半分ずつに分かれて実施します。半分で300人を超えるのですが、授業ではこの300人を超える学生たちで「ワークショップ」を行います。しかも階段教室状の大教室やホールで、15週間。

　ちょっと無理でしょう、と思われるかもしれませんが、関係の教職員や学生がいろいろと工夫し協力して実現することができました。本書ではテキストとしての利用を想定していますが、そうした大人数でのアクティブラーニングの手法のヒントを紹介する内容にもなっています。

　近年の学生はコミュニケーションが苦手と言われますが、この授業ではまずその苦手意識を払拭してもらうよう、トレーニングを積んでもらうような内容となっています。この手法が皆さんのお役に立てばと思います。

大ホールで300人超による授業

　では最初にこの授業が実現した経緯と、授業の概要から紹介しましょう。

滋賀県立大学は、日本一大きな湖：琵琶湖のほとり、滋賀県彦根市に立地する 4 学部 13 学科、学生数 2800 名ほどの総合大学です。4 学部は環境科学部、工学部、人間文化学部、人間看護学部で、理系、文系、看護系が混在しています。開学は 1995 年で、開学当初から**「地域に根ざし、地域に学び、地域に貢献する」**大学、**「キャンパスは琵琶湖。テキストは人間。」**をモットーに授業や研究で地域とのつながりの構築を実践してきました。

　学生が地域とのつながりを構築する活動は、開学以来のフィールドワークや実習科目で実践してきましたが、中でも特徴的なのは 2004 年からはじまった**「スチューデントファーム　近江 楽座」**の取り組みです。これは、学生グループによる主体的な地域活動を大学が予算・ノウハウ面でサポートする仕組みで、基本的に単位にはなりません。それでも毎年 20 チームほどが選抜されて、400 名ほどの学生が地域活動を実施しています。さらにその発展型として 2006 年から大学院に設置されたコース**「近江環人 地域 再生学座」**では、大学院生と社会人が、地域活性化やまちづくりのノウハウを学び、地域課題の解決に実践的に取り組んでいます。そして、この 2 つの取り組みを基礎にして、2008 年からは学部生の地域志向を高める副専攻**「近江 楽士 （地域学）副専攻」**が設置されました。この副専攻は、地域志向を強化する授業科目群で構成されており、修了生には学位にプラスして**「近江 楽士」**という大学独自の称号が与えられます。この 3 つのプログラム（学部副専攻、課外活動、大学院副専攻）が、滋賀県立大学の地域教育プログラムの軸を形成しています。

　地域共生論は、これらのプログラムの基礎として、学生たちの地域志向を高めることを狙いとした授業科目です。2014 年に文部科学省の大学 COC 事業に採択されたのを機に、1 回生必修科目として教育プログラムをリニューアルし生まれました。

　地域共生論の授業を実施する体制は、全学の地域志向教育を所掌する「地域共生センター」の教員が中心となり、それぞれの学部・学科から推薦された教員で運営委員会を構成する形となっています。推薦される教員は複数人とし、担当者が少しずつ入れ替わっていくようにしています。この授業への参画も教員にとっては FD（ファカルティ・ディベロプメント：大学教員の教育能力を高めるための実践的方法の機会）になっています。

　授業のテーマは、科目名の通り、どの学部学科でも共有できる「共生」という概念と「地域」という対象を掛け合わせたものとしました。テキストをご覧いただくとわかるように、各学部が取り上げる内容は様々ですが、その内容を持ち寄り、議論して、最終的にはすべての学生が関心を持てるような内容、そして、学びが自身の専門分野にもつながるような内容に仕上げました。共生という概念に対する認識は様々ですが、その多様性に触れることも学

習においては効果的と考えています。

300人規模のワークショップを実施するにあたっての工夫は、授業の実施体制や内容以外に次のようなものがあります。

1つめは、グループの人数を4人～6人とすることです。話し合うにしても、制作するにしても時間的にも6人が限界としました。300人を超えますので、50グループ以上となります。2つめは、このグループを座席指定で強制的に決めてしまうことです。15週の授業を4つの期間に分けグループ替えを行いますが、様々な学科の学生でグループを構成するように期間ごとに座席を指定しています。この人と同じグループは嫌というクレームもありますが、そこは共生がテーマですから数回は共生できるよう努力をしてもらいます。

3つめは各回で事前学習（予習）を課し、受講後にはレポートを提出することです。一人で考える、グループで考える、一人でまとめるという形を基本としています。近年の学生は話すことが苦手な傾向にありますが、書いてもらうと意外と上手に答えられるようです。もちろん逆に書くことが苦手な学生もいますが、この「書くこと」を随所に盛り込んで、対話が促進されるよう工夫しています。

4つめは学生サポーターの存在です。学生サポーターは一定要件をクリアした先輩たちで、1時限に6名が担当します。サポーターには、授業の準備、資料やポスター作成用紙の配布、回収、授業中の出欠チェック、ワークショップや作業のアドバイスを担ってもらっています。サポーター自身のスキルアップにもつながります。

成績評価は、ルーブリックに則って行います。毎週レポートを採点し、翌週に返却します。採点は地域共生センター3名の教員で対応しますが、これはなかなか時間がかかります。受講生は、ルーブリックに配点が出ていますので、上手に休むこともできなくはないですが、毎回がグループワークなので、休むことは個人の信用に関わるもの、と注意しています。

まだまだ細かな点はありますが、こうした工夫で実現されたのが300人規模のアクティブラーニング「地域共生論」の授業です。8年間実施してみて、単位を落とす学生が減り、感想等から**コミュニケーション力が向上した学生が多い**と感じています。親と先生以外の大人とまともに話したことがないという学生も多くいる中で、まず、多様な学生同士のコミュニケーションを通じて、自身の特性や専門性の認識や地域とのつながりに気づき、訓練されることで地域に目を向け、地域で活動できる素養が育まれるのです。

2017年3月作成　2021年3月修正　2024年3月修正

地域共生論運営委員会を代表して　地域共生センター　鵜飼修

受講生の皆さんへ

　"教室では学べないことが地域にはある。"

　この一文は、地域共生論をはじめとする地域教育プログラムを象徴する言葉である。現場に飛び込み、生きた課題に触れることで、はじめて、大学で獲得した知識や技術を活かす「センス」を養うことができるのである。大学で培う **"専門性"** と **"地域での学び"** の相乗効果は、自分自身の能力を高めていく上での大きな後押しとなる。また、多くの地域人との触れ合いは、知識や技術だけでなく、就職、そしてその後の人生を豊かにする財産になるだろう。

　今、地域では、人口減少・少子高齢化社会に伴う諸課題の解決、農林水産業の未来への継承、グローバル経済の中での自立的な産業の創発、さらに、エネルギー問題を乗り越える分散型ネットワーク技術の確立などが求められている。こうした諸課題の解決策を導き出すためには、リアルな地域に飛び込み、多様な人びとと連携し、様々な知恵を結集することが必要である。

　ただし、地域で学ぶことの意味はわかっても、いざ現場に飛び込むとなると、戸惑う人も多いだろう。より豊かな学びの成果を得るためにも、地域の人びととのつながりを築くための作法やマナー、地域の人々や仲間を巻き込んで学びを深め、課題解決の実践を展開するための技法を身につけることが何よりも重要である。

　こうした技（わざ）を身につけることは、一筋縄では行かない。大学の4年間の学びを通じても完璧に身につけることはなかなか難しい。しかし、各自が課題意識を持ち、地域に学ぶことを楽しむことができれば、かならずや将来の夢に向けて大きなヒントや糧を得ることができるだろう。

　"地域に根ざし、地域に学び、地域に貢献する"を理念として掲げる本学にとって、創立20周年を経た今、全学必修科目である地域共生論は、これまでの本学の伝統を引き継ぐ最も象徴的な科目となる。**大学と地域が「共に育ち」、「共に創る」ための素地をつくる機会**でもある当科目を通じて、所属も専門分野も異なる 600 人余りの受講生が寄り集い、地域の未来を切り拓く素養を身につけてほしい。

2017 年 3 月

地域共生論運営委員会一同

目　次

　　階段状のホールなので、グループワークには適していませんが、少しでも活発なグループワークができるように、まずは座り方から工夫してみてください。

　　グループ発表の様子。６グループ前後でまとまり、相互発表・評価を行います。

序　地域共生論のすすめ方

序　地域共生論のすすめ方

　地域共生論の授業のすすめ方は、大学で行う講義形式の授業とは異なる。受講生は最初にこの授業のすすめ方を理解し、「慣れ」る必要がある。

序-1.　地域共生論がめざすところ

　地域共生論は、他者と共感し豊かな対話の中で育まれるという本講義の地域共生の意義を理解し、自ら率先して地域における活動等を実践することの大切さを学ぶことを目指した授業である。滋賀県立大学が目標としている学生が身につける能力は、新しい地域社会を拓く「変革力」であり、変革力は「コミュニケーション力」「構想力」「実践力」の3つの力をベースに構成されていると定義している。

　地域共生論はそのうちの「コミュニケーション力」の育成に重点をおいた導入科目として位置づけられている。授業では、「自己」「他者」「地域」それぞれの特性の理解と対話を通じて各自のコミュニケーション力の向上をめざすとともに、未来を拓く学生諸君の特性や専門性と「地域」「共生」という概念がどのような関係性を持つのか、自らがどのように地域社会に貢献できるのかを考え、発見していただく。

＜授業の到達目標＞

　授業の到達目標は以下の6つである。

① 地域共生の概念を理解し説明することができる。

② 自己の強みや弱みを把握できている。（自己認識）

③ 他者・地域とのコミュニケーションをはかるための基礎的な作法を理解し説明することができる。（親和力）

④ 自己の考えを自分の言葉で整理し、他者に発信できる。（自信創出力）

⑤ 自己の意見、他者意見の対話を通じて成果物を作成することができる。（協働力・統率力）

⑥ 地域共生の概念と自己の専門性とのつながりを理解し説明することができる。

＜成績評価＞

　成績評価については、個人のレポートと、グループの成果とグループプレゼンテーションの評価により行われる。単位の取り方については、後述を参照すること。

＜宿題および小試験＞

　テキストの各章には事前学習（予習）すべき内容が記載されている。中間

や期末の試験は行わない。

序-2. 受講のゴール

　地域共生論では、与えられた課題に対する解決よりも、自らが課題を設定する力に重点を置いている。特に、全15回の授業を通じて、コミュニケーションの基本にはじまり、各学部の専門性を踏まえた地域共生の新たなまなざしを獲得する機会を用意しているが、これはあくまで自身がこれから対峙するであろう課題に対しての所作を学ぶためのものである。

　大学での学びには、高校までの学びとは違い、さまざまな専門的知識を吸収しながら、自らが設定する課題（仮説）に対して解決方策を見出す作業が求められる。特に地域課題を解決するためには、ひとりの力だけでなく、大学外の関係者と協働しながら、解決方策を探索することが不可欠である。

　地域共生論では、個々人がその共生の捉え方や、思い描く解決方策が違うことを知った上で議論を重ね、自分自身にとっての「地域共生とは何か？」を思考し、最終成果物として提出する。

　すなわち、全15回を通じた学びを通じた成果として一人ひとりが、現時点での「わたしにとっての地域共生論」を見いだすことがゴールとなる。

序-3. 授業の構成

　地域共生論では、「地域共生」をキーワードに全学部学科の教員が参画し、それぞれの専門の視点を活かした授業が行われる。構成は以下の通りである。詳細な授業計画はシラバスを参照すること。

第1回〜3回（総論）

・地域共生を学ぶ上での基礎となる事項を学ぶ。

第4回〜14回（4学部の専門分野における地域共生をテーマに考える）

・「人が人として生きていくための共生」　　（人間看護学部担当）
・「ひとと技術の共生」　　　　　　　　　　（工学部担当）
・「自然と地域との共生」　　　　　　　　　（環境科学部担当）
・「琵琶湖をめぐる共生の旅」　　　　　　　（人間文化学部担当）

第15回（総括）

・授業全体を振り返り、総括を行うとともに、「わたしにとっての地域共生論」を思考する。

序-4. 授業のながれ

　地域共生論における授業展開は、以下のような枠組みで構成されている。ただし、各回の課題テーマによっては順番が変わる場合もある。時間配分については当日指示する。授業展開の目安として参照してほしい。

＜授業のながれのパターン＞

パターン１：事前学習（予習）〜講義〜ノート作成〜グループワーク

講義スタート
（前日までに事前学習（予習）に取り組んでおく）

ノートにメモをとりながら聴講（個人）

グループ（4〜6名）でワーク
※書記係を1名選出

レポート提出
（web）

各自のノートに整理

パターン２：グループ成果物作成〜プレゼンテーション〜学生相互評価

　あらかじめ前回授業終了後に課された宿題の成果を持ち寄る。

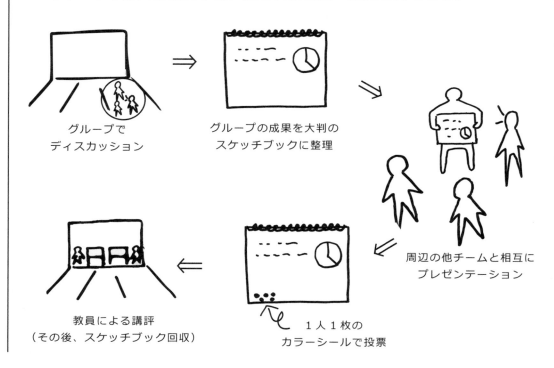

グループで
ディスカッション

グループの成果を大判の
スケッチブックに整理

周辺の他チームと相互に
プレゼンテーション

1人1枚の
カラーシールで投票

教員による講評
（その後、スケッチブック回収）

序-5. グループワークでの注意点

　授業は毎回のようにグループワークがある。グループワークをするねらいは、グループメンバーの多様な意見に耳を傾け（傾聴）、理解し、グループとしての考えの合意形成を図ることにある。もちろん、プレゼンテーションの作成では、その技術や中身も評価が問われる。

　グループワークを始める際は、まず簡単な自己紹介、司会と書記の選抜を行う。司会者は、指示された時間内に成果が得られるよう、グループメンバーが仲良く、活発に意見交換できるよう促すのが役割である。書記は出された意見を簡潔にメモし、最後にメンバーに伝え、ノートへの転記を支援する。意見交換の場で全員がメモをとることに必死になって対話になっていない状況がよく見受けられる。コミュニケーションの基本は相手の話に耳を傾けることであるので、メモをとることはほどほどにして、活発な意見交換を行うことが望ましい。

序-6. 良い成績を修めるために

　成績評価は次ページの「ルーブリック」に基づいて、提出されたレポートの採点、プレゼンテーション成果の採点で行われる。特別な事情がない限り、救済措置はないのでレポート提出がない、グループワークやプレゼンテーションに参加していないと明らかに成績は下がる。月曜日の1，2限の授業であるので朝が苦手な人は、朝起きることができるように生活のリズムを整えてほしい。社会人ともなれば遅刻は関係者に迷惑をかける行為であり厳禁である。

　また、毎回グループワークを行うので、無断で欠席することは個人の信用に関わる。やむを得ず休む場合や遅刻する場合は、少なくともグループメンバーに連絡するのが礼儀であろう。なお、遅刻の場合は成績から減点される。

　事前学習（予習）を行うよう指示がある回については、必ず事前学習を行うこと。事前学習をしてこないと意見交換ができないことや、授業の内容を深く理解できないことにつながる。意見交換ができなければ良い成果は得られない。

　最後に、良い成績を修めるコツは、出題者の意図を理解し、適切に解答することである。採点者はルーブリックの到達目標の視点で採点する。量が多ければ良いということではない。意図を理解し、質の良い適切な内容、分量の解答を考えてから解答してほしい。この行為もコミュニケーション力を高める練習である。

地域共生論　ルーブリック　＊オンライン、オンデマンド開催となった場合などで、実施回数、実施内容、配点が変更されることがある

No	到達目標	評価手段	配点:100点満点（素点を傾斜配点化）	評価比率
①	自己の強みや弱みを把握できている。地域共生の概念と自己の専門性とのつながりを理解し説明することができる。（自己認識）	レポート	第1回（5点）、第15回（5点）	5%＋5%＝10%
②	他者・地域とのコミュニケーションをはかるための基礎的な作法を理解し説明することができる。（親和力）	レポート	第2回（5点）、第4回（5点）	5%＋5%＝10%
③	様々な専門分野における地域共生の概念を理解し説明することができる。	レポート	各回5点（第3、6、7、9、10、12回）	5%×6回＝30%
④	自己の考えを自分の言葉で整理し、他者に発信できる。（自信創出力）	レポート グループ成果物	レポート5点＋グループ成果物5点＝各回10点（第5、8、11、13、14回）	10%×5回＝50%
⑤	自己の意見、他者意見の対話を通じて成果物を作成することができる。（協動力・統率力）			

期	授業回	主担当所属	到達目標	F　60%未満	C　60%～70%未満	B　70%～80%未満	A　80%～90%未満	S　90%以上	採点点数（満点）	相互評価による加点
第Ⅰ期	第1回	地域共生センター	自分自身の専門性と地域共生との関係性を理解する。	著しく理解が不足している。	理解がやや不足している。	理解できている。	十分に理解できている。	十分な理解と魅力的な表現ができている。	5	—
	第2回	地域共生センター	コミュニケーションとは何か理解を深める。	著しく理解が不足している。	理解がやや不足している。	理解できている。	十分に理解できている。	十分な理解と魅力的な表現ができている	5	—
	第3回	地域共生センター	SDGsおよびSDGs地域化拠点について理解する。	著しく理解が不足している。	理解がやや不足している。	理解できている。	十分に理解できている。	十分な理解と魅力的な表現ができている。	5	—
	第4回		コミュニケーションのしくみと行う際の要点を理解する。	著しく理解が不足している。	理解がやや不足している。	理解できている。	十分に理解できている。	十分な理解と魅力的な表現ができている。	5	—
	第5回	人間看護学部	人と人が互いにわかり合うコミュニケーションの方法を理解する。	著しく理解が不足している。	理解がやや不足している。	理解できている。	十分に理解できている。	十分な理解と魅力的な表現ができている。	5	シール11枚以上：3点 シール6-10枚：2点 シール1-5枚：1点
				グループワークができておらず、ポスターができていない。	グループワーク、あるいはポスターの内容が不十分である。	グループワークを行い、ポスターができている。	十分なグループワークを行い、ポスターができている。	十分なグループワークと魅力的なポスターができている。	5	
第Ⅱ期	第6回	工学部	地域の産業の歴史と現状、地の利との関係、地の利を活かした産業のありかたを理解する。	著しく理解が不足している。	理解がやや不足している。	理解できている。	十分に理解できている。	十分な理解と魅力的な表現ができている。	5	—
	第7回		日本におけるエネルギー消費の現状と、ライフスタイルの転換によるエネルギー消費抑制の可能性を理解する。	著しく理解が不足している。	理解がやや不足している。	理解できている。	十分に理解できている。	十分な理解と魅力的な表現ができている	5	—
	第8回		持続可能な社会の構築に向けて、地域における省エネルギー型の産業のあるべき姿を提案する。	著しく理解が不足している。	理解がやや不足している。	理解できている。	十分に理解できている。	十分な理解と魅力的な表現ができている。	5	シール11枚以上：3点 シール6-10枚：2点 シール1-5枚：1点
				グループワークができておらず、ポスターもできていない。	グループワークあるいはポスターの内容がやや不十分である。	グループワークを行いポスターができている。	十分なグループワークを行いポスターができている。	十分なグループワークとポスター、魅力的な説明ができている	5	
第Ⅲ期	第9回	環境科学部	自然共生型社会と高度技術型社会の内容を理解し、自らの志向を考える。	自らの考えが整理できていない。	考えの整理がやや不十分である。	考えの整理ができている。	考えの整理が十分にできている。	考えが論理的に整理されており、表現が魅力的である。	5	—
	第10回		自然共生型住宅と高度技術型住宅および里山についての知識を得て、志向する社会を考える。	自分の考え・理解が著しく不足している。	考え・理解がやや不足している。	考え・理解できている。	十分に考え・理解できている。	十分な考え・理解と魅力的な表現ができている。	5	—
	第11回		持続続可能な社会の構築に向けて、暮らし方、住まい方、コミュニティのあり方をどのようにすべきか提案する。	自らの考えが整理できていない。	考えの整理がやや不十分である。	考えの整理ができている。	考えの整理が十分にできている。	考えが論理的に整理されており、表現が魅力的である。	5	シール11枚以上：3点 シール6-10枚：2点 シール1-5枚：1点
				グループワークができておらず、ポスターもできていない。	グループワークあるいはポスターの内容がやや不十分である。	グループワークを行いポスターができている。	十分なグループワークを行いポスターができている。	十分なグループワークとポスター、魅力的な説明ができている。	5	
第Ⅳ期	第12回	人間文化学部	共生をテーマとした地域をめぐる旅を構想することができる。	構想ができていない。	構想がやや不十分である。	構想できている。	十分に構想できている。	十分な構想と魅力的な表現ができている	5	—
	第13回		共生をテーマとした地域をめぐる旅を、調査に基づき企画することができる。	調査ができていない。	調査がやや不十分である。	調査できている。	十分に調査できている。	十分な調査と魅力的な表現ができている。	5	—
				企画ができていない。	企画がやや不十分である。	企画できている。	十分に企画できている。	十分な企画と魅力的な表現ができている。	5	—
	第14回		自ら企画した旅を他者にアピールすると共に、他者の成果を理解し評価することができる。	自己及び他者のプレゼンテーションの評価ができていない。	自己及び他者のプレゼンテーションへの評価に不足がある。	自己及び他者のプレゼンテーションへの評価ができている。	自己及び他者のプレゼンテーションへの評価が優れている。	自己及び他者のプレゼンテーションへの評価が大変優れている	5	シール11枚以上：3点 シール6-10枚：2点 シール1-5枚：1点
				自分たちのグループのポスターがまったく完成できていない。	自分たちのグループのポスターで要求を満たしていない部分がある。	自分たちのグループのポスターが要求を満たして完成している。	自分たちのグループのポスターが優れている。	自分たちのグループのポスターが大変優れている。	5	
	第15回	地域共生センター	自らにとっての地域共生とはどのようなものであるか第1回から思考を深め説明することができる。	著しく理解が不足している。	理解がやや不足している。	理解できている。	十分に理解できている。	十分な理解と魅力的な表現ができている	5	—

1　地域共生とは何か

予習　テキストをよく読み、授業までに以下の内容についてノートにまとめること。

① 地域共生論で学ぶべき内容は何かを整理し、キーワードを挙げなさい（5 つ以上）。
② テキストを参考に、さまざまな「共生」の定義を調べ、そのうち 1 つについて概説をノートにまとめなさい。

※予習にかかる時間はおおよそ 1.5 時間を想定している。

1　地域共生とは何か

1-1.　はじめに

地域共生論の授業にようこそ。

皆さんが入学したこの滋賀県立大学では、文部科学省の「地（知）の拠点整備事業」いわゆる COC 事業の支援を受けて、この地域共生論をはじめとした、地域教育プログラムを構築し、推進している。

COC 事業とは、センター・オブ・コミュニティ[*1] という言葉の略である。すなわち、コミュニティ[*2] の中心に大学がなりなさい、という国の大きな方針のもとに推進されている取り組みである。地方創生の時代と言われているが、まさにその核になりなさいということだ。

この取り組みを実践している大学は、全国、各都道府県に 1 校か 2 校である。滋賀県では、ここ滋賀県立大学 1 校のみ。そういう意味では、皆さんはとても幸運といえる。国の向かうべき方向性の最先端のプログラムを学べるのだから。この場での学びを多いに活かして、皆さん方の手で新しい世の中を構築してほしい。

では、どういう最先端の学びをするのかを紹介しよう。最先端といっても、IPS 細胞とか、アンドロイドとかの話ではない。教育の方向性の最先端である。教育というのは国の未来をつくるものである。第二次世界大戦の終戦から 75 年を経過したが、かつては間違った教育もなされてきた。教育とは恐ろしいものである。しかし、同時に皆さんの可能性を開花させる素晴らしいものでもある。

私たちが提供する地域教育プログラムは、全国の大学が取り組んでいる地域との連携した教育プログラムのなかでも、地方大学ではトップランナーのプログラムである。多くの大学が、この滋賀県立大学を視察に訪れ、その取り組みを参考にプログラムをつくっている。しかし、このプログラムは、ただ新しく、ポンと出てきたものではない。滋賀県立大学の開学からの歴史の上に生み出されたものなのである。新型コロナウィルス感染症で、まさに社会や経済のありようが変わろうとしている。そうした状況下でこそ私たちは、地域の価値を見直し、地に足をつけた最先端の学びをする必要があるのではないであろうか。

1-2.　滋賀県立大学の地域に学ぶ仕組み

滋賀県立大学の地域教育の歴史を振り返って紹介しよう。

滋賀県立大学の 1995 年開学時からの「モットー」は何か知っているだろうか？　モットーとは日常生活の方針や標語のこと、すなわち私たちの大学の理念を象徴する言葉である。

[*1]
Center of Community

[*2]　アメリカの社会学者マッキーヴァー(1921)によれば、「コミュニティ」とは、「その中で共同生活(common life)が営まれ、人々がいろいろな生活場面で、ほかの人とある程度自由にかかわりあい、このようにして共通した社会的特性をそこに現している生活圏」としているが、ここではある一定の範囲の「地域」をコミュニティと捉えている。現代におけるコミュニティの概念は空間的な枠を越えたつながりも含まれる。

コミュニティや地域の捉え方はその主体や条件により可変的である。

地域に関する学術的な捉え方を紹介しているものとしては、朝野洋一ほか「地域の概念と地域構造」大明堂,1988、木内信蔵「地域概論」東京大学出版会,1968 などを参照されたい。

そう、ひとつは、「キャンパスは琵琶湖。テキストは人間。」

キャンパスが琵琶湖ということは、琵琶湖の水面だけが大学キャンパスという意味ではない。琵琶湖は日本最大の湖であるが、滋賀県の範囲と、この琵琶湖に集まる水の流れの範囲を重ねると、おおよそ95.8%は滋賀県に降った雨が琵琶湖に集まってくる。そういった河川や水路と降った雨のつくるつながりの範囲（集水域）≒ 滋賀県全体がキャンパスなのである。

ではテキストとは何か。滋賀県全体がキャンパスで、そして、そこに住む人、働く人、訪れる人、みんなが皆さんの模範＝テキストとなり得るということである。歴史のある人間生活の場としての滋賀県すべてが学びや研究の対象なのである。そういう意味での「キャンパスは琵琶湖。テキストは人間。」というモットーである。

開学の理念は、もう一つある。

それは「地域に根ざし、地域に学び、地域に貢献する」大学であるということ。この意味は言葉そのままである。COC事業ではセンター・オブ・コミュニティといって、地域の拠点となることを唱っているが、もともと、滋賀県立大学は県立の大学であるから地域のニーズに応えるなど、地域の拠点となるべく地域との関わりを大切にして生まれてきた大学なのである。

これらのモットーを具現化した教育プログラムとしては、開学時より継続されている環境科学部の「環境フィールドワーク」や、人間文化学部の「環琵琶湖文化論実習」がある。いずれも学生が授業を通じて地域にお邪魔させていただくものである。また、看護の学生は看護実習などで地元の病院にお世話になる。工学部の学生は研究などで地元企業との連携がたくさんあることを今後知っていくことだろう。こうした科目や連携は地域とのつながりがあってこそのものなのである。

もう一つの特徴的取組みは「近江楽座*3」である。これは、授業や単位と関係なく、学生達の主体的な地域貢献の取り組みを大学が支援する仕組みであり、2004年度から開始された。また、大学院では近江楽座の経験者や地域再生に関心のある人を対象とした、まちづくりノウハウを学ぶ副専攻「近江環人地域再生学座*4」が2006年度から開設されている。大学院生と社会人が一緒に机を並べ、汗をかいて学んでいる。そしてその後、この大学院副専攻の学部生向けバージョンとして「近江楽士（地域学）副専攻」が生まれた。このような地域での学びを体系化したものが、皆さんがこれから学ぶ「地域教育プログラム」であり、その最初の基礎的な科目が「地域共生論」なのである。

*3　近江楽座（おうみらくざ）:
http://ohmirakuza.net/

*4　近江環人地域再生学座（おうみかんじんちいきさいせいがくざ）:
http://ohmikanjin.net/

1-3. 人（自分）が育つ環境に出逢う

　滋賀県立大学が大学として目指している姿は「知と実践力をそなえた人が育つ大学」である。

　人「が」育つというフレーズに注目してほしい。人は育てるものではなく、自ら育つものであり、その環境や情報をいかに提供するかが大学の役割であるという意味が込められている。すなわち、皆さんはそれぞれに差はあるが自ら育つ力があるということが前提となっている。ただ、その環境や情報が良いか悪いかで、良く育つか、悪く育つか、あるいは育たないかが、決まるのである。皆さんはもう大人であるから、環境や情報を自由に選ぶことができる。ぜひ、自らが育つことを実感できる良い環境や情報を選択し、自己の能力を伸ばしてほしい。

　では、そういった環境や情報はどこにあるのか。

　日頃の生活環境、家庭環境、下宿先の環境、大学のクラスメイト、サークルなど、皆さんを取り巻く様々な環境が存在する。大学の授業でも同じである。講義あり、フィールドワークあり、大学での様々な学びの環境がある。ところが、情報化社会、個人主義の時代では、そういった既成概念的な環境だけでは、これからの新しい社会を拓くことができない。

　未知なる新しい社会を拓くためには、それらの環境以外の環境にふれ、イノベーション*5を興す必要がある。イノベーションとは刷新、革新、新技術という意味であるが、「地域」や「社会」をテーマに考えるのであれば、まさに「地域イノベーション」「社会イノベーション」が必要なのである。

　一つ例を挙げよう。

　「病児保育」を知っているだろうか？この中にはお世話になった人もいるかもしれない。病児保育は、保育園や幼稚園では発熱した子どもを預かってくれないので、そうした時に子どもを預かってもらうシステムである。この仕組みをつくった人がNPO法人フローレンス*6の駒崎 弘樹さんだ。彼は、ベビーシッターをしていたお母さんのつぶやきにヒントを得て、病児保育の仕組みを考え出した。最初は小さな取り組みだったが、今では、日本全国どの地域にも見られるような取り組みに普及し保育業界にイノベーションがおきた。こうした、社会の矛盾や課題に気づき、アイディアを発想し、実践していくことで既存の仕組みが刷新し、イノベーションが興るのである。「私はそんなたいそうなことできない」という人もいるかもしれない。しかしそれはそれで結構。実践するかしないかは、できるかできないかの運もある。ただ、そういった考え方や実践に触れる機会があれば、迷わずその環境を選択してほしい。イノベーションの現場を知り、実践に触れることは、まさに皆さんが育つ環境である。

*5 イノベーション（innovation）は、オーストリアの経済学者：シュンペーターが提唱した概念。経済活動における既成の考え方と異なる「新結合」を唱えた。

*6 NPO法人フローレンスのホームページ：http://www.florence.or.jp/

1-4. 地域・社会イノベーションを興す方法

　イノベーションを導く手法[7]として著名なのが「システム思考」と「デザイン思考（デザイン・シンキング）」を組み合わせた方法である。これらの学びは、近江楽士（地域学）副専攻の授業科目としても1回生後期から設定されている。

　システム思考とは、物事の構成要素のつながりを解読する考え方である。「木を見て森を見ず」という言葉があるが、木の構造も見るし、それを取り巻く環境としての森全体の構造もみるという手法である。つまり、物事をそれらの構成要素とそのつながり＝システムを把握するということである。

　一方で、デザイン思考は、「デザイン」という言葉があるので「あぁデザイナーの仕事ね」とか「建築家の仕事ね」と思ってしまうかも知れないが、それは大きな誤解である。イノベーションはあらゆるジャンルに求められるものである。新商品の開発もとより、看護の現場だったり、日々の仕事の現場だったり、そうした「非デザイン業務」においてこそ必要となる考え方がデザイン思考なのである。

　その手法は、オブザベーション（観察）、アイディエーション（発想）、プロトタイピング（試作）の3つステップで構成[8]され、そのステップを複数人で繰り返し、共創するというものである。オブザベーションは簡潔に言えば、既成概念にとらわれず、対象と良くコミュニケーションをとって、その本質を見出すことである。アイディエーションは、ブレインストーミングなどで議論し、新しい集合知を発想することである。そして、プロトタイピングは短期間で模型などを用いて多くのアイディアを試す作業である。これらの繰り返しにより、イノベーションは生まれてくる。

　地域共生論の話に戻ろう。

　なぜ、地域に目を向け、共生を考えなければいけないのか。人口減少社会というパラダイム変化の中で、地域の未来を担う皆さんには、これからの新しい社会を切り拓く地域イノベーションを実践する術を身につけて欲しいのである。デザイン思考のオブザベーション（観察）についてそのやり方は次のように紹介されている。

　「人々が無意識に感じていてまだ言葉にできていないような問題をとらえるためには、観察者自らが対象者のコミュニティに入り込み、感性を働かせ、対象となるモノの無意識的な活動を身体で理解する必要があります」

（前野隆司「システム×デザイン思考で未来を変える」日経BP社,2014,p.22[8]）

　皆さんにはまずはこのコミュニティ（地域）に入り込む「作法」を身につけていただきたい。そこで必要となるのがコミュニケーション力なのである。

　地域共生論の講義は、地域とは何か？共生とは何か？地域共生とは何か？その手法にはどういう手法があるのか、私たちは普段の生活で何をすれば良いの

[7] イノベーションに関する様々な書籍が出版されているので参考にされたい。
ティム・ブラウン「デザイン思考が世界を変える」早川書房,2014 など

[8] 前野隆司「システム×デザイン思考で未来を変える」日経BP社,2014

19

か、を繰り返し考える授業となっている。考えるといっても大切なのはその答えを得ることではなく、その思考プロセスの体験である。多様な人々との対話、話を聞く、理解する、意見をするという基本動作、そして、成果物を共に考え、提案するという、短いけれども一連のドラマ。あの人の意見は納得いかない、私のことを理解してくれない、そんな思いも抱くことがあるかも知れない。社会に出ればそうしたシーンは数限りなくある。思い通りにならないことの方が多い。それでも、ゴールに向かって、議論し、共に汗をかき、成果を得る体験は皆さん方のコミュニケーション能力を必ず向上させる。

　そうした、体験の繰り返しを通じて「地域共生」とは何か、「私の地域共生論」はこういうことです、こう考えます、という結論を一つ持っていただきたい。もちろんそれはその時の考えであって変わっていくものである。あるいは変わらない、不変なものが見つかるかも知れない。しかし、身につけた手法はいくらでも応用可能となる。「地域共生論」での学びは、そうした未来を拓く術の第一歩なのである。

1-5. 複眼的に物事をみる・・・地域診断的視点*9

　物事をとらえるとき、既成概念にとらわれていないだろうか。テレビやマスコミ、ネットや先生からの情報を鵜呑みにしていないだろうか。もちろん、正しい情報もあれば正しくない情報もある。どのような情報をどのように捉えて、物事の本質を見極めればよいのか。一例として、地域診断の手法を紹介しよう。

　ここでいう地域診断とは地域を診断するのではなく、地域の本質的な特徴を捉え、活かすことを目的に行う。看護・福祉の分野にも同様の言葉が存在するが、医者の診断、すなわち悪いとこを直す、という視点ではなく良いところを伸ばす、良いところを活かして悪いところを改善するという考えである。いわば西洋的医学と東洋的医学になぞらえることができる。この地域診断の手法は副専攻科目「地域診断法」に譲るが、概略を紹介すると、地理学的な視点を基本に、エコロジカルプランニング（生態計画）の手法を用いて、地域を多様な側面（レイヤ）で分解し、それらの科学的な情報から地域の特徴を見出す手法である。

　具体的には地域を大きく4つの側面：地学的、気象的、生態的、人為的からとらえ、それらの特徴を科学的なデータで見出していく。その際に、対象地域のみを見るのではなく、視野を広げて基礎行政区域、県域に広げ、それらのスケールでの対象地域の特徴を捉え直す。そうして得られたデータのつながりを読み解き、地域の特徴をあぶり出す手法が地域診断法である。

　このように、物事を多面的に見る、客観的データでみる、多段階のスケールで見るという物の見方は、様々なシーンで活用できる。例えば就職活動におい

*9　近江環人地域再生学座編鵜飼修責任編集「地域診断法　鳥の目、虫の目、科学の目」新評論,2012

て会社を調べる時。会社のパンフレット、会社の人事担当の言うことは、自社のPRであるのでよいことを言うのが普通である。では、その会社の実態はどうなのか。地域診断の手法のように、あらゆる角度から*10その特徴をあぶり出し、自分に適しているかどうかを判断すべきであろう。そういうものの見方を身につけることが大切なのである。

*10　例えば「会社四季報」（東洋経済）を読む、業界紙を読む、社員の人に何気なく聴いてみる、インターネットで確認するなど

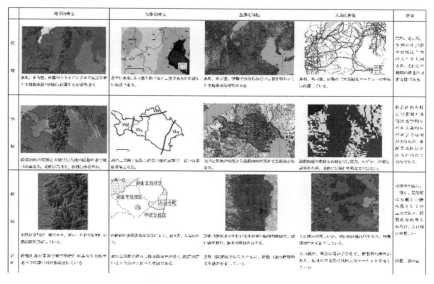

図1-1　エコロジカルプランニングのマトリックス例：4列×3行の視点で地域を分析する

1-6.　滋賀県に学ぶものとしての基本・・・滋賀県の地域構造を知る

　最後に、滋賀県の地域に学ぶものとしての基本的な捉え方を紹介しよう。

　滋賀県の地域構造は大変わかりやすい構造となっている。滋賀県が「環境県」といわれる所以もこの構造的特徴からである。

　滋賀県は行政的な地域の捉え方であるが、県土の95.8%は琵琶湖に注ぐ河川の集水域で構成*11されている。すなわち、滋賀県に降った雨はほぼ、琵琶湖に集まるのである。この地域構造が、1977年に発生した琵琶湖の赤潮をきっかけに展開された環境市民運動である「せっけん運動」の拡がりにもつながった。

　また、琵琶湖は関西の水瓶であり、琵琶湖を中心とした生態圏は大阪を含むものである。琵琶湖の汚染は、単に琵琶湖や滋賀県の問題ではなくこれら生態圏の中で捉えることが必要である。

　この生態圏の捉え方は、人間の社会経済活動にも関連している。滋賀、京都、大阪という古来の日本文化の形成拠点は、地域の構造があってのものであり、近現代の

*11　琵琶湖に関する情報は、内藤正明監修「琵琶湖ハンドブック（改訂版）」滋賀県,2012,
http://www.pref.shiga.lg.jp/biwako/koai/handbook/
に詳しく掲載されている

図1-2　琵琶湖を中心とした滋賀県の形

都市化や工業化なども生態圏として捉えるとその特徴が見えてくる。

地域診断的な捉え方からすれば、この日本列島の「くびれ」部分と古代湖である琵琶湖から大阪湾に注ぐ流域、くびれに生じる気象的条件が生態系を育み、人間社会を育んできたのである。

図 1-3 滋賀県の立地と風（地域診断法[9]　p.125 より）

1-7. 共生の概念・定義

共生（Symbiosis）とは、広辞苑第六版[12] によれば「ともに所を同じくして生活すること」「異種の生物が行動的・生理的な結びつきをもち、一所に生活している状態」と紹介されている。前者は一般的な捉え方で、後者は生物学的な捉え方である。漢字の通り、共（とも）に生（い）きることには変わりない。

共生の事例として有名なのはクマノミとイソギンチャクの関係であろう。イソギンチャクは触手に触れるものを刺してしびれさせ捕食する。しかし、クマノミだけは捕食されない。なぜか？きっと仲が良いからか？　2015 年にニュース[13] でも話題になったが、女子高校生たちがこの謎を解明した。詳しく解説することは避けるが、共に生きるための科学的な仕組みがあったということである。何気なく共に生きていても何かしら意味や仕組みがあるということである。

一方で、共生を違った視点で捉えれば、物事はそれ単体では存在し得ないということであろう。必ず何かしら自己以外のものとの「つながり」をもって存在しているということである。

小玉[14] は「人と人との、あるいは人と自然との共生といった具合に、共生という言葉が頻繁に用いられるようになった。異なった文化、異なった考えを持つ人々が共に生きること、それが難しい時代になってきたことを反映しているのかもしれない」と指摘し、生態学の教訓として、多様性があることを「生物種が多いほど生態系（エコシステム）を安定すると同時に、予測できない環境

*12　新村出「広辞苑第六版」岩波書店,2008,p.731

*13　清野貴幸「クマノミがイソギンチャクに刺されぬ謎、女子高生が解明」朝日新聞デジタル,2015年2月10日

*14　小玉祐一郎「環境共生住宅をめざして」環境共生住宅 AtoZ,環境共生住宅推進協議会編集,(株)ビオシティ,1998,p.8

変化、天変地異に対しても耐性がある。一見、冗長で無駄がありそうに見えながら、実はシステム全体の安定性に寄与しているという指摘は、とかく物事を単純化して効率を高めがちなわれわれの思考に軌道修正を迫る」とし、「生物どうし、あるいは生息する環境との間には生物の存在を担保する「エネルギーの流れ」と「物質循環」が」あり「これらを適切に制御することによって生態系（エコシステム）が維持でき、ひいては環境負荷を減らせる」と述べている。

　以下に生物学的、宗教・哲学分野、建築学、社会学の視点から共生の概念を紹介し、最後に、滋賀県における具体的な共生の事例を紹介する。

（1）生物学における共生

　共生現象のうち利害関係が分かりやすいものにはそれを示す名が与えられている。しかし、これらの区分は必ずしも明確ではなく複雑であることが指摘されている。広辞苑第六版[*12]では「共利共生（相互に利益がある）と片利共生（一方しか利益をうけない）とに分けられる。寄生も共生の一形態とすることがある」とあるが、ベゴンほか[*15]は、「単独で生きている種はいない。むしろ他種との結びつきが緊密である場合が多く、また、他種の個体を生息場所にしている生物も多い」とし「共生（symbiosis）はこのような種間の緊密な結びつきを指すためにつくられた用語であり、これには「共生者」（symbiont）が「寄主」（host）から提供された生息場所を占有する場合も含まれる」としている。

（2）宗教・哲学分野における共生

　一例として仏教における共生の考え方について紹介する。仏教には「共生」という言葉自体は存在しないといわれている[*16]。しかし、理念を現す多くの言葉自体が共生の概念を示しているという（諸行無常、諸法無我、一切皆苦、涅槃寂静、縁起、輪廻転生、因果論、報恩、智慧と慈悲、自利利他、不二）。

　ムコパディヤーヤは「上述した仏教の教説・用語は、「共生」について直接触れてないが、自己と他者との関係、またはあらゆるものの相互関係について説いており、そこから「共生」に関する理念が構想される」[*16]としている。

　一方、峰島[*17]はそうした共生の説き方に注意を喚起している。「すぐに、なんのためらいもなく、「共に仲よく生きる」ことが説かれる嫌いがあるのであるが、人間同士にせよ、人間と自然にせよ、動物同士にせよ、はたまた無生命の存在と生命のある存在にせよ、そのように簡単に在りうるのではない。自然の恵みがいわれるのと同じ程度に自然の脅威がいわれるのがその 証左（しょうさ） である」。

（3）建築家の唱えた共生と環境共生住宅

　建築家の黒川紀章は、学生時代に共生（ともいき）運動を実践した 椎尾弁匡（しいおべんきょう）

*15　マイケル・ベゴンほか著「生態学　個体から生態系へ[原著第四版]」京都大学学術出版会,2013,p.499

*16　ランジャナ・ムコパディヤーヤ「仏教思想としての「共生」－その解釈と実践」人間文化研究所年報,名古屋市立大学大学院人間文化研究所,2006

*17　峰島旭雄「人間共生の諸相－仏教に約して－」文教女子大学研究紀要第2巻第1号,2000

*18　椎尾弁匡（しいおべんきょう）1876－1971 浄土宗の僧，大正大学学長

*19　黒川紀章「黒川紀章著作集第3集　評論・思想III」勉誠出版,2006, p.252

*20 環境共生住宅推進協議会編集「環境共生住宅AtoZ」,（株）ビオシティ,1998

*21 外国人との共生に関する基本法制研究会「多文化共生社会基本法の提言」2003,p.3：http://www.kisc.meiji.ac.jp/~yamawaki/etc/kihonho.pdf

*22 内藤正明監修「琵琶湖ハンドブック（改訂版）」滋賀県,2012,p.68：http://www.pref.shiga.lg.jp/biwako/koai/handbook/files/p68-69.pdf

[18] に教育を受けたことから、建築家として活躍する中で「共生の思想」を唱え、その思想は建築や都市計画にとどまらず世界的に展開した。「地球には、ご存知のように、多くの異質な文化があり、数多くの少数民族が存在する。小国の文化を、先進国の文化よりも劣っているとか、未開であると否定したり、大国の文化を押しつけることなく、共に互いの文化のアイデンティティを理解し、認めあって生きていく、そういう社会を実現していこうということである。この考えを追求していくと、どうしても地域の歴史というものが重視されてくる」[19] として、共生時代における「文化」や「地域性」の大切さに言及している。

・環境共生住宅

　「地球環境を保全する観点から、エネルギー・資源・廃棄物などの面で充分な配慮がなされ、また周辺の自然環境と親密に美しく調和し、住み手が主体的にかかわりながら、健康で快適に生活できるよう工夫された、環境と共生するライフスタイルを実践できる住宅、およびその地域環境」[20] のことをいう。

（4）社会学分野における共生：多文化共生社会

　多文化共生社会の定義は「国籍や民族などの異なる人々が、互いの文化的ちがいを認め、対等な関係を築こうとしながら、共に生きていく社会をいう。すなわち、多様性にもとづく社会の構築という観点に立ち、外国人および民族的少数者が、不当な社会的不利益をこうむることなく、また、それぞれの文化的アイデンティティを否定されることなく、社会に参加することを通じて実現される、豊かで活力ある社会である。」[21] とされている。

1-8．滋賀県における共生事例

　以下に滋賀県における共生の事例をいくつか紹介する。事例はこれら以外にも多くあるので、自分自身で様々な共生事例を探してみてほしい。

・人と環境の共生の例：せっけん運動[22]

　1977年5月、琵琶湖に悪臭を放つ淡水赤潮が発生した。その原因の一つが肥料や合成洗剤に含まれている「リン」であることがわかり、県内の消費者団体や各種団体などの県民が主体となり、リンを含む合成洗剤の使用をやめ、天然油脂を原料とした粉せっけんを使う運動が広まった。これが滋賀県におけるせっけん運動である。その後「びわ湖を守る粉石けん使用推進県民運動」圏連絡会議が結成され、この会議が中心となって行政への要望を行い、1980年にリンを含む家庭用合成洗剤の販売・使用・贈答の禁止、窒素やリンの工場排水規制を盛り込んだ「滋賀県琵琶湖の富栄養化の防止に関する条例」通称「琵琶湖条例」が施行された。

・環境と経済の共生の例：びわ湖環境ビジネスメッセ[*23]

　1998 年〜2019 年に滋賀県長浜市で開催されていた、環境ビジネスに取り組む企業・団体が環境製品、技術、サービス、ビジネスモデルを一堂に展示し、市場開拓と販路拡大に向けて実りある商談、取引を展開される日本最大級の環境産業総合見本市。「環境と経済の両立」を基本理念に持続可能な経済社会を目指し、環境産業の育成振興を図るため、環境負荷を低減する製品・技術・サービス等を対象とした、商談・取引と情報発信・交流の場となる環境産業の総合見本市。

写真1-1 びわ湖環境ビジネスメッセの様子：様々な企業や団体が出展し交流・商談している

・滋賀県（近江）の暮らし：惣村文化に代表される地域との共生

　水野[*24]は「中世の発達した自治的な村落を「惣村（そうそん）」と言います。村落が掟をもち、武装し、裁判を行い、自分たちの共有地をもったりします。実は、惣村研究の対象となっているのは圧倒的に近江の村落なのです。惣村が広く成立した結果、村落に多くの文書が伝えられていたのです。（中略）

　近江は生産力が高く、またさまざまな社会的分業や交通・流通を発達させて都の文化を吸収していったため、このような惣村が展開した」と述べている。滋賀県には惣村と呼ぶことのできる古くからの集落が多く存在している。

・環境共生型戸建て住宅団地：小舟木(こぶなき) エコ村[*25]

　近江八幡市小船木町に建設された 370 世帯の住宅団地「小舟木エコ村」は、NPO 法人エコ村ネットワーキングが中心となって、環境共生型のコンセプトとライフスタイルを計画し、具現化させた。10 坪菜園、雨水タンク、生ゴミコンポストなど、住民のライフスタイルにおいて環境共生行動を促す仕組みを取り入れ、実践されている。

*23　びわ湖環境ビジネスメッセは 2020 年から開催を休止している。概要は以下の HP を参照。https://ja.wikipedia.org/wiki/びわ湖環境ビジネスメッセ

*24　水野章二「滋賀県（近江）の歴史の特性」近江環人地域再生学座編鵜飼修責任編集「地域診断法」新評論,2012,p.180

*25　NPO 法人エコ村ネットワーキング「小舟木エコ村ものがたり　つながる暮らし、はぐくむ未来」サンライズ出版,2011

写真 1-2　小舟木エコ村：環境共生の様々な実践をみることができる

*26　滋賀県ホームページ：
http://www.pref.shiga.lg
.jp/e/omigakuen/

・社会福祉における共生の例：滋賀県立近江学園[26]

　近江学園は 糸賀 一雄 氏らによって創設された知的障害児・者の教育施設である。糸賀は「この子らを世の光に」と人々に語りかけ、池田太郎氏、田村 一二 氏らとともに知的障害児・者の療育に尽くした。糸賀らの理念は広く受け継がれ、今日の社会福祉の礎となっている。

1-9. 地域共生をテーマにコミュニケーション・スキルを磨く

　これまで見てきたように地域共生というテーマには様々な捉え方がある。学術的な定義も、個々人の考えも捉え方も様々である。この多様な考えのぶつかり合いがイノベーションを興し、新たな社会を切り拓くことにつながる。地域共生論の授業におけるグループワークでは、文理が混在した、専門が混在したグループでの意見交換がなされる。お互いがお互いの意見に耳を傾け、理解し、合意形成を図ることが繰り返し行われる。受講生の皆さんには、そうした訓練を通じて、自らのコミュニケーション・スキルを磨いてほしい。

写真 1-3　地域診断法ワークショップの様子：学生と地域の人々との対話がなされる

2　コミュニケーションが育むもの

予習　テキストをよく読み、授業までに以下の内容についてノートにまとめること。

① テキストを読んで「コミュニケーション不全」とはどういった状態かを簡潔にまとめなさい。

② 本章のキーワードを挙げなさい（5つ以上）。

　※予習にかかる時間はおおよそ 1.5 時間を想定している。

2 コミュニケーションが育むもの

2-1. 「コミュニケーション能力」は低下しているか

　「コミュニケーション能力が低下している」という言説があちこちで聞かれる。「近ごろの若ものは…」という前置きに続いて語られることが多い。

　コミュニケーション能力をめぐって、劇作家で大阪大学コミュニケーションデザイン・センター教授の平田オリザ[*1]は、「単語で喋る子どもたち」が増えているという。こう聞くと、やはり子どもたちのコミュニケーション能力が低下しているのだな、という印象を抱くかもしれない。けれどもそうではない、と平田は言う。例えばひと言「ケーキ」とだけ言えばその通りケーキが供される母子の間でのように、本人が自分の意思を表現し伝えようとするより先に、本人の意思を察して望むところを実現してくれるような、そんな親子関係・家庭環境の中で育つうちに、「言わなくて済むことなら言わないように変化するという言語の法則」に従って「単語で喋る子どもたち」が増えているのではないか。そうだとすれば、子どもたちは「単語でしか喋れない」のではなく「必要がないから喋らない」のだ。したがって、それは「コミュニケーション能力の低下」の問題ではなくて、「コミュニケーションに対する意欲の低下」の問題なのだ、というのである。

2-1-1. 「伝えたい」という気持ちが前提

　なるほど、「ケーキ」と言えばそれにありつくことができ、「おーい！」と言えばお茶が出てくるような状況というのは、見方によっては極めて恵まれたコミュニケーション環境ではあり、かつ、ある意味高度なコミュニケーションが成立している状況だとも言える。そして私たちの社会は、まさにそうした「わかりあうこと」、「察しあうこと」、またそのような人間関係を好ましいものと評価し、慣れ親しんできた。そのような「わかりあう、察しあうといった温室のコミュニケーション」で育てられてきた子どもたちが、高校、大学に進学し、さらには企業に入ってから「突然、やれ異文化コミュニケーションだ、グローバルスタンダードの説明責任だと言いたてられる」[*2]。

　必ずしも子ども・若者のコミュニケーション能力が低下しているわけではない。しかし、コミュニケーション能力に対する社会の要求が、子ども・若者の従来の能力を上回る勢いで高まっているのである。

　そこで、大学を含め教育機関では、子ども・若者のコミュニケーション能力をさらに高めるために、様々な教育プログラムを工夫・考案し、試みているが、まだまだ追いついてはいない。そもそも、そうした教育を通じて「コミュニケ

*1 平田オリザ「わかりあえないことから」，講談社，2012

*2 平田，前掲書,p.24

ーション・スキル」、すなわち「伝える技術」をどれだけ教え込もうとしても、「伝えたい」という気持ちが子どもの側になければ、その技術は定着しない。

それでは、その「伝えたい」という気持ちはどこから来るのか。それは「伝わらないという経験」からであるという[3]。

*3 平田，前掲書

コミュニケーションと言うと、私たちは「わかりあえること」を前提とし、それを目標とする営みであると考えがちである。だが、その前提を疑ってみる。コミュニケーションとはじつは、「わかりあえないことから」始まるのではないか。つまり「わかりあえないこと」「伝わらない」という経験、そのもどかしさ、そしてそうであればこその、伝わった、わかりあえたときの喜び。それが、人をしてコミュニケーションに駆り立てるのではないか。平田は、そのように問いかけるのである。

2-2. コミュニケーション力とは

日本経団連による調査[4]では、企業が社員の選考にあたって重視した点について、20項目から5つ回答する設問の回答結果で「コミュニケーション能力」が、じつに16年連続で第1位となっている。

*4 日本経団体連合会「新卒採用に関するアンケート」，2018年

ここまで重要視される「コミュニケーション能力」とは何だろうか。また、そもそも「コミュニケーション」とは何だろうか。

それは「自分の意見をはっきり言えること」であろうか。あるいは「人の話をしっかり聞けること」だろうか。もしかして「外国語を自在に操れること」だろうか。それとも「場の空気を読めること」なのであろうか。

広辞苑第六版[5]ではコミュニケーションとは「①社会生活を営む人間の間に行われる知覚・感情・思考の伝達。言語・文字その他視覚・聴覚に訴える各種のものを媒介とする」「②動物個体間での、身振りや音声・匂いなどによる情報の伝達」「③細胞間の物質の伝達または移動」と定義されている。

*5 新村出「広辞苑第六版」岩波書店，2008

次に、コミュニケーションの語源を見ると、ラテン語で「分かち合う」を意味する「communicare」[6]、あるいは「共有の」とか「共通の」「一般の」「公共の」を意味する「communis」[7]であるとされる。

*6 「ブリタニカ国際大百科事典小項目事典」TBSブリタニカ，1973
*7 「世界大百科事典」日立デジタル平凡社，1998

齋藤孝は、コミュニケーションとは「端的に言って、意味や感情をやりとりする行為である」[8]と定義する。一方通行の情報伝達ではなく、「やりとりする相互性」を強調している。また情報伝達だけではなく、感情を伝えあい分かち合うこともコミュニケーションの重要な役割であるとし、これらを踏まえて「コミュニケーション力」とは「意味を的確につかみ、感情を理解し合う力のことである」[9]という。

*8 齋藤孝「コミュニケーション力」岩波新書，2004,p.2

*9 齋藤，前掲書,p.4

また、コミュニケーションは、言語によってのみ行われるものではない。けれども近代以降のわれわれは、どうしても言葉に依存することが多いのも事実

*10 柳田国男「定本柳田
国男集第7巻」筑摩書房,
1968,p.330

*11 竹内敏晴「こどもの
からだとことば」晶文社,
1983,p.32

*12 文部科学省「OECD
における「キー・コンピテ
ンシー」について,
http://www.mext.go.jp/b
_menu/shingi/chukyo/ch
ukyo3/004/siryo/0511116
03/004.html

*13 コミュニケーション
教育推進会議「子どもた
ちのコミュニケーション
能力を育むために」文部
科学省, 2011,p.5

*14 清水康一郎「一瞬で
自分を変える言葉アンソ
ニー・ロビンズ」角川学外
出版, 2013

*15 宮原哲「入門コミュ
ニケーション論」
2006,p.3

*16 浜口恵俊「日本人ら
しさの再発見」講談社,
1998

*17 末田清子・福田浩子
「コミュニケーション学
増補版」松柏社, 2011

である。柳田国男は、現代は言語の万能を信じすぎると言い、「泣くというこ
とに対しても「泣いたってわからぬ」、又は「泣かずにわけを言ってごらん」な
どとよく言うが（中略）もしも言葉を以て十分に望む所を述べ、感ずる所を言
い表し得るものならば、勿論誰だってその方法に依りたいので、それでは精確
に心の裡を映し出せぬ故に、泣くという方式を採用するのである」*10と指摘
している。この柳田の言をとらえて竹内敏晴は、この単純な基本的なことが、
現代では切り捨てられている。すなわち「子どもが、ことばではなくてからだ
で語っていることが、理解できなくなっている」*11と主張する。竹内にすれば、
コミュニケーションや共感の基盤、出発点はあくまでからだにあるわけである。

　経済協力開発機構（OECD）が「子どもたちに必要な能力」として挙げてい
るところの「多様な社会グループにおける人間関係形成能力」というのも、一
種のコミュニケーション能力であると考えてよいだろう*12。「多様な社会グル
ープ」とあることから、とりわけ、グローバル化社会における「異文化理解能
力」の意味合いが強い。

　また、文部科学省が設置したコミュニケーション教育推進会議は、上記
OECDの見解に呼応するかたちで、コミュニケーション能力を「いろいろな価
値観や背景をもつ人々による集団において、相互関係を深め、共感しながら、
人間関係やチームワークを形成し、正解のない課題や経験したことのない問題
について、対話をして情報を共有し、自ら深く考え、相互に考えを伝え、深め
合いつつ合意形成・課題解決する能力」と定義している*13。

　「人生の質は、コミュニケーションの質によって決まる」*14という人もいれ
ば、「人として生まれてきた私たちを、人間という社会動物へと成長させる大事
なプロセスがコミュニケーション」である、と説く人もある*15。浜口恵俊に
よると日本語にはもともとコミュニケーションにあたる言葉がないので訳せな
いという*16。

　日々いささか辟易するほど耳にし、口にもする「コミュニケーション」また
「コミュニケーション能力」という言葉であるが、それだけに、様々な観点、
立場から様々な定義や説明が行われていて、収斂しない。なにしろ、アメリカ
のコミュニケーション学者が1970年代に調べたところ、コミュニケーション
学という一分野の、その時点で、「コミュニケーション」の定義は126もあっ
たというのである*17(末田・福田,2011)。まさに百家争鳴である。

2-3. コミュニケーションの諸相
2-3-1. 夫婦げんかに学ぶコミュニケーション
　「コミュニケーションとは何か」と真正面から問う前に（あるいはそのため
に）、コミュニケーションの不全あるいは不調の場面についても、思い起こして

みよう。たとえば夫婦げんかである。以下は、夫婦げんかのきっかけの典型的な例である。

　先日、妻に「あー疲れた」はやめて欲しいと文句を言われました。「それは私(妻)に対してのあてつけに聞こえる」と。何を言っているんだ、毎日仕事でへとへとになっているんだ、せめて家に帰ってきたときの解放感で言ってもいいじゃないか、別にあてつけでも何でも無いと言ったら、「いや、私に対して文句に聞こえる。私だって疲れているのに。あー疲れたと言われると非常に不愉快」と。この後、夫婦喧嘩になってしまい、1週間程、全く会話をしない状態が続きました[18]。

　「あー疲れた」と夫婦のどちらかが言う。それに対して「わたし（俺）だって疲れている」と応じるところから、「わたし」と「わたし」の際限ない衝突が始まり、けんかの泥沼にはまる。この泥沼を回避するのには、経験上、たいてい次のような一言で足りる。
　「そうか、きみは（あなたは）疲れているんだね」。
　続けて、相手を労（ねぎら）う言葉を掛けられるとなお良い。現実には、頭では、わかっていても、「疲れたんだね」。その一言がかけられなくて、つい「俺だって」の一言が口を突いて出てしまうから、感情だけが応酬する夫婦げんかという負のコミュニケーションに陥ってしまう。
　この場合、夫婦の会話の中でやりとりされているのは、「私は疲れています」という情報（だけ）ではない。「疲れた」という事実の伝達だけが目的ならば、それを受け取った側は「そう、じゃあ寝れば？」「マッサージにでも行って来たら？」と具体的に疲れをとる方策を示せばそれでよい。だが実際にそのような返事をすると、「そーいうことじゃなくて」と、やはりけんかになりかねない。
　この場合の「あー疲れた」という言葉には意味とは別に託されたものがある。例えばそれは「自分のことを認めて欲しい」「受け止めてほしい」というメッセージであろう。

2-3-2.　あなたの言葉を受け止めました
　ある末期医療の研究者ら（柏木哲夫・岡安大仁（まさひと））がおこなったアンケートによると、「わたしはもうだめなのではないでしょうか？」という患者の言葉に対してどう答えるのか、それぞれ専門の異なる医師や看護師に対していくつかの選択肢を示して問うたところ、多くの精神科医が選んだのは「「もうだめなんだ…とそんな気がするんですね」と返す」というものであったという[19]。
　精神科医というのは、まさに患者との対話、言葉によるやりとりを通じて患

*18 読売オンライン「発言小町」，2012.5.12 投稿 http://komachi.yomiuri. co.jp/t/2012/0526/510630.html

*19 中川米造「医療のクリニック」新曜社，1994

者を治療しようとする人たちである。コミュニケーションの専門家である。この場合精神科医は、患者が語った言葉をほぼそのままの形で繰り返すことによって、「私はあなたの言葉を確かに受け止めました」という応答メッセージを返しているのだという。

2-3-3. 存在・了解の響き合いとしてのコミュニケーション

　これらのことから、コミュニケーションとは、言語や文字、身振りや音を媒介にして情報や感情をやりとりするというだけでなく、相槌ひとつ、目配せひとつからその他さまざまレベルの様々な仕方によって言外に「私はあなたの言葉を、あなたの意見を、いま、こうして間違いなく受け止めています」という了解のやりとり、もっと根源的には「あなたの経験を、あなたの存在を、たしかに受け止めています」という存在了解の絶えざる応答、あるいは響き合いである、と考えることもできるであろう。

　だから、蜜月（みつげつ）の恋人同士が、あるいは、長年連れ添った老夫婦が、周りから見ればなんの情報伝達にもなっていないような言葉のやりとりをしているのは、それを通じて、互いに存在了解を交わし合っているのだ。

　インタビューや対話のプロといわれる人々が明かすコミュニケーションのテクニックでは、相手の発言をそのまま繰り返すかたちで問う、いわゆる「オウム返し戦法」[20]、あるいは相手の話に「沿いつつずらす」というような技法[21]が、基本的かつ必殺のワザとして紹介されている。これも上記の話に通ずることではないだろうか。

2-3-4. 欲求とコミュニケーション

　こんなふうに考えてみると、われわれは、マズロー[22]の言う、最も基本的な「生理欲求（＝食べたい、寝たい）」や「安全欲求（＝危機回避）」を満たすことから、「社会的欲求（＝どこかに所属したい、仲間が欲しい）」そして「尊厳（承認）欲求（＝他者から認められたい、尊敬されたい）」「自己実現欲求（＝自分の能力を引き出したい、創造的活動がしたい）」を達成することまで、じつに様々なレベルで、様々な目的のために、コミュニケーションを行っているのである。「生理欲求」あるいは「安全欲求」のレベルでなら、われわれは、たとえば犬や猫の「おなかがすいた」「外へ出たい」という「メッセージ」を解し、そこそこ「コミュニケーション」することができていると、言ってみることもできそうだ。しかし人間がコミュニケーションに期することは、その方法も含めて、もっともっと複雑で、だから、同じ人間同士での間で「わかりあえない」「伝わらない」ということが頻繁に起こる。あるいは、私たちには、各種の欲求充足のためにコミュニケーションするということのほかに、コミュニケーシ

*20 阿川佐和子「聞く力」文春新書，2012

*21 齋藤孝，前掲書

*22 A.H マズロー、小口忠彦翻訳「人間性の心理学」産能大出版部，1987

ョンそのものを欲求する、そんな一面があるのではないか。

2-4. コミュニケーションの死

　山本七平は、先の戦争に関して、当時日本の権力の中枢にいた人々の多くが、戦争の無謀であることを早い段階で認識していながら、にもかかわらず、その道を破滅に向かって突き進んでしまった、その原因について、「空気」という言葉をキーワードにして論じている*23。

　たとえば、日本人の多くは、何やらわけのわからぬ「空気」に、自らの意思決定を支配されており、それから自由になれない。何かを議論し結論を採用する際にも、論理的結果としてではなく、「空気」に適合しているからで、採否は「空気」が決める。そこで「空気だ」と言われて拒否されてしまうと、反論の方法はないという。

　私たちは今でも、多くの人々が、組織が、あるいは私たち自身が、じゅうぶんにコミュニケーションを図らず、議論を尽くさず決定し実行したことで、結果問題が起こって追及された場合に、「自分もそれは懸念していたが、あの場の空気では…」「あの当時の世間の空気が…」と釈明する。そんな場面を経験しているだろう。

　山本自身も「これこれは絶対にしてはならん」と言い続けたその人が、いざとなると、その「ならん」と言ったことやったり、やれと命じたりした例を、戦場でいくつも体験したという。戦後その理由を問うたときに返ってきた答えは「あのときの空気では、ああせざるを得なかった」なのだという。そんなふうにして「至る所で人びとは、何かの最終決定者は「人でなく空気」であると言っている」と指摘する。そして次のように警鐘を鳴らす。

　　もし日本が、再び破滅へと突入していくなら、それを突入させていくものは戦艦大和の場合の如く「空気」であり、破滅の後にもし名目的責任者がその理由を問われたら、同じように「あのときは、ああせざるを得なかった」と答えるであろうと思う*24。

　その場の「空気」に従い、あるいは過度に 忖度 し、「わかっているだろう」「いうまでもないことだ」として同調を迫り、議論を回避しようとする。今でも私たちはそのようなコミュニケーションの文化あるいは癖を持ち、そうしたコミュニケーション環境を創りあげる。それが良い場合もあるが、それが行きすぎれば、コミュニケーションは死んでしまう。そのことを自覚していなければ、同じ過ちを繰り返すことになる。

　70 年前に、「空気」の支配が日本を破滅に導いたように、同じころ、ドイツ

*23 山本七平「「空気」の研究」文芸春秋，1983

*24 山本，前掲書,p.20

では、人間が作り上げたシステム、あるいは徹底的なマニュアル化が、人類史上未曽有の大量虐殺を引き起こした。その 大殺戮 は、明確な悪への意思を持った大悪人、極悪人が起こしたものではなく、まじめで平凡な人間が、計画に従い、システムを創りあげ、マニュアル通りに、粛々と、まじめに殺戮を実行した。これもまた、コミュニケーションの死の形のひとつであろう。

マニュアル化され、思考停止した平凡な人間が、そのような所業に至った事実から、思想家アーレントは、そこにあったのは、われわれの創造を絶する巨悪ではなく、「凡庸な悪」であったと指摘する[25]。それは言い換えれば、システム、そしてマニュアルに支配され、絶えざる自問自答、良心との対話をやめ、思考停止に陥ったとき、われわれは、自ら進んで大きな過ちに加担するかもしれない存在なのだということだ。

2-5. 成熟社会・地方分権時代とコミュニケーション
2-5-1. 成長は終わり、人口は減少する

「コミュニケーション」や「コミュニケーション能力」が、今なぜこれほど重視されているのか、その背景についても考えてみよう。「時代の転換」「グローバル化」という観点から考える。

まず、時代の転換という事に関して。

いま、日本は政治・経済的、社会・文化的に大きな転換期に差し掛かっている。例えば、経済は成熟化し、戦後の高度成長期を中心とする急速な拡大・成長の時代が終わりつつある。

これは人口の減少という問題とも結びついている。日本の人口は2008年をピークに減少に転じ、人口減少社会に突入した。人口減少は今後加速度的に進み、このままで行くと、2010年で1億2806万人であった日本の総人口は2050年には9000万人台に、さらに50年後の2100年には5000万人をきることになる。この、5000万人をきる人口は、明治時代後期の人口水準である。今後100年間で100年前の水準に戻っていくわけで、このような変化は1000年単位でみても類を見ない極めて急激な減少ということになる[26]。

人口が減少すると、経済のパイが縮小し、需要が頭打ちになるので経済活動は鈍化する。それでも、1人当たりの国民所得を維持することができればいいようなものだが、同時に進行する高齢化のために、人口の減少を上回る「働き手」の減少が生じる。その結果、総人口の減少以上に経済規模を縮小させ、1人当たりの国民所得を低下させるおそれがあるなど、そう簡単にはいかない。ならば働き手1人当たりの生産性を高めればいいのでは、といっても高齢社会では社会保障費の増大によって働き手1人あたりの負担が増加し、勤労意欲にマイナスの影響を与える。加えて、人口規模の縮小がイノベーションを停滞させ

[25] ハンナ・アーレント「イェルサレムのアイヒマン」みすず書房, 1969

[26] 内閣府「まち・ひと・しごと創生長期ビジョン」2014

るおそれがある*27。既に進行している急激な高齢化も、これまでどの文明も経験したことのないものである。今、日本は、文明化されたどんな社会も未だ経験したことのない問題に直面し、われわれは時代の重大な転換局面に差し掛かっているということになる。

　以上を見ると、日本の未来は極めて暗い、と暗澹(あんたん)たる気持ちになる。「地方消滅」*28などという言葉を聞くと、不安感はいや増す。

2-5-2. 成長から成熟へ、真の豊かさへ

　しかし一方で、この局面をポジティブに捉え、その過程ではいくらかの「移行期的混乱」を切り抜けなければならないとしても*29、「成長型」から「成熟型」へとうまく転換を遂げることができれば、日本社会は「真の豊かさを実現していく」ことになるはずだ、と考える人もいる*30。

　日本は欧米列強の力に圧倒され、明治以降、現代に至るまで彼らをモデルとし、彼らに「追いつき追い越せ」と、すべてを総動員して拡大・成長路線を邁進(まいしん)してきた。はじめは「富国強兵」、それが敗戦に帰結すると「経済成長」へと、スローガンの文言はその都度書き換えながらも、百数十年間、「国を挙げての経済成長」という国家目標のもと、権力を、金を、人材を都市に、中央に集中させ、「日本株式会社」と喩えられるほどの結束力でもって国民・国家一丸となって突き進んできた。

　そして日本は高度経済成長を達成し、世界有数の経済大国にまでのし上がってきたのである。「坂の上の雲」をつかむために*31、遮二(しゃに)無二(むに)駆け上ってきた結果、われわれはその頂に立った。経済的、物質的豊かさを達成した。今、時には無理を重ねて「経済成長」という所期の目標を達成した結果、経済は成熟化し、拡大・成長の時代は終焉を迎えつつある。

　ところが、その目標に到達してみてはじめて、われわれは経済成長が人間の幸福に必ずしも直結しないことに気が付いた。また、その過程で、国土や自然環境に対してどれだけの負担を強いて来たのかということが見えてきた。伝統・文化その他大切にすべき価値を置き去りにして来たかもしれない、と顧みはじめた。そして近年ではまさに拡大・成長路線の限界が露呈し、その矛盾が様々な具体的な社会問題のかたちで現れている。

　以上のことを踏まえ、広井は、経済の低成長、人口減少社会への転換は「そうした矛盾の積み重ねから方向転換し、あるいは"上昇への強迫観念"から脱出し、本当に豊かで幸せを感じられる社会をつくっていく格好のチャンスあるいは入口と考えられるのではないか」と主張する*32。こうした観点に立つとき「少子化は経済への悪影響を与え、国力の減衰を招くからなんとしても出生率を上げるべきだ」と言った発想の仕方では、事態は悪化していくばかりだろう

*27 内閣府「まち・ひと・しごと創生長期ビジョン」2014

*28 増田寛也編著「地方消滅」中公新書, 2014

*29 平川克美「移行期的混乱」筑摩書房, 2010

*30 広井良典「人口減少社会という希望」朝日新聞出版, 2013

*31 司馬遼太郎「坂の上の雲」, 1978

*32 広井, 前掲, 2013, p.6

と指摘する。戦中の「産めよ、増やせよ」に通ずるそうした「拡大・成長」の発想そのものが限界に達し、矛盾がきわまった結果として現在の問題が現出しているのである、と。

2-5-3. 分配の問題

　さて、では、こうした大きな転換期の状況が、どのようにコミュニケーションやコミュニケーション力とかかわってくるのであろうか。それはたとえば、われわれがいわゆる「経済成長神話」から抜け出し、広井の言うように「真に豊かな成熟社会」を実現していくうえでクリアすべき大きな問題、すなわち社会保障等の「分配」をめぐる問題にかかわっている。

　「昨日より今日、今日より明日」という成長・拡大の高度成長期のように、いわゆる経済のパイも拡大を続けるなかでは、「分配」の問題を考える必要はなかった。会社間や家族間の競争と利益の追求がパイ全体の拡大につながり、結果的に個々の会社や家族の利益の拡大にもつながっていた。

　しかしそうした時期は過ぎ去る。われわれはこれから、格差問題や社会保障、世代間の公平から老朽化したインフラのメンテナンス等も含む様々な「負担」や「分配」の問題に真正面から取り組まなくてはならない。言わば「三方一両損」を、皆が納得して受け入れ、さらに理想的にはその分担に積極的な価値を見いだして、負担はあるが「三方よし」と引き受けることのできるような、成熟した市民によって構成される成熟した社会を創造していかなければならない。

2-5-4. ビジョンを分ち合うために

　そして、そのような場合にこそ必要になるのが当事者間の「コミュニケーション」であり、そこで試されるのがまさに「コミュニケーション力」である。

　これまでの時代にも、コミュニケーションは重視されたし、コミュニケーション能力が求められていた。けれどもそれはどちらかと言うと、例えば「飲みニケーション」と言われる居酒屋でのつきあいや、社員旅行に象徴されるような、会社組織の中で上司・部下や同僚と家族のような親密な関係を築く目的で行われる、協調あるいは同調すること、感情面を主としたものだったのではないか。会社や上司の指示に素直に従い、場合によっては言わずもがなでみずから上司や会社の意を汲み取れる、そういう能力だったのではないか。

　限られた資源を、暴力に物言わす闘争によらず、対話と共感、説得と納得によって平和裏に分かち合うためには、それがほしいだけある場合（金持ちケンカせず！）に比べてより高度な知恵と合意が必要であり、その知恵と合意を育むためには——個々の成員が今その負担を受け入れることが社会全体にどのような効果を及ぼし、結果としてそれがどのように（ときには世代を越えて、思

いがけない形で）個々に還ってくるのか、というビジョンをまさに「分かち合う」というような意味での――高度なコミュニケーションが欠かせないのである。そうした、時にシビアでしんどいコミュニケーションが、成熟した市民・社会を育んでいくともいえよう。

2-5-5. 自分たちで決める、つくる社会

　「そんなことは皆がみなしなければならないことではないだろう」「それこそ政治家の仕事だろう」「誰かが決めてくれるのだろう」という意見もあるかもしれない。確かに、これまではそれで良かったのであろう。これまでは、例えば欧米という目指すべきモデルがあり、「富国強兵」や「経済成長」といった大きな国家目標を多くの国民が共有し、中央あるいはトップの誰かが決めたことに従っていれば、なんとなくうまくいったのである。

　それで実際に経済は成長し、パイは拡大し、利益が分配されてきた。良い学校に入り、良い会社に入り、良い社員として勤めていれば、年々給料は上がり、それなりに幸せな人生を歩むことができた。税収を背景に、市民は「税金を払って行き届いた行政サービスを買う消費者」のようなマインドを持つようになった。「一億総中流」とも言われ、所得のレベルやライフスタイル、嗜好や志向がある程度共通した人々が中心であった社会。

　しかし、歴史上、そうした時期はむしろ例外的な、特異な短期間の出来事でしかないとも言われている*33。人類の歴史としてはむしろ、いわゆる定常的な状態の経験の方が長い。「成長型」から「成熟型」への歴史的移行期にあって、日本及び日本の地域社会は「正解のない課題」と「（世界のどの社会も）経験したことのない問題」に直面している。かつてのように皆を引き付け、団結させるような旗印は掲揚し得ず、また分配できるパイがなければ、国民・地域・市民のすべてのニーズに応えきることもできない。そもそも、国民・市民が多様化し、ニーズ自体が多様化している。年功序列や社会保障の制度も揺らいでいる。

　様々な格差、多様な価値観とライフスタイル、文化的背景の違う人々の入り混じる地域・社会。誰かが決めてくれるわけではない。ときには負担を分かち合わなければならない。そんな社会で、身近な人々と議論し、自分たちの生活を、地域をどうして行くのか、隣人同士で話し合い、自分たちで決めて行かなくてはならない。そのような時代、そのようなコミュニケーションは、しんどいが、ただしんどいだけでもないだろう。

　もういちど身近な人たち、新しい仲間、思いもかけない考えを持った人たちと共に、自分たちの将来、地域の未来を自分たちで決めることができる時代だ、と言い換えることもできるのだ。

*33 トマ・ピケティ「21世紀の資本」みすず書房, 2014

37

2-6. グローバル化とコミュニケーション
2-6-1. 多文化共生の時代へ

　移動・運搬、通信技術等の発展にともなって、人や物や情報、エネルギーや資本等が、旧来の国や地域の境界を超えて地球規模で行き来することにより、地球規模での相互依存の状況が現出している。このような状況をグローバル化と呼ぶが、この先、グローバル化は一層進むと考えられる。こうした状況下では、まさにコミュニケーション力がズバリ問われることになる。

　グローバル化というと「われわれはグローバル化した経済環境のなかで、熾烈な競争にさらされている。何としてもこの競争に勝ち抜かなければならない」というような文脈での言動に出会うことが多い。もちろんそれは事実であり、そうした状況を生き抜くためにもコミュニケーション力は必須の力である。

　いっぽうで、グローバル化した社会とは地球規模での共生関係が取り結ばれる社会でもある。競争しつつ共生している、とも言える。またもちろん、グローバル化とはわれわれが外へ打って出ることだけではなく、われわれの側に受け入れることでもある。人口減少社会にあっては、海外からの移民を積極的に受け入れることなしには、経済も福祉も成り立たないのだから、積極的に移民を受け入れるべきだという考えもある。

　いずれにせよ、グローバル時代の地域社会、あるいは家族においては、出自や文化が異なる人々が混じりあって暮らす状況が当たり前になる。先に紹介したコミュニケーション教育推進会議で「21世紀はグローバル化が一層進む時代である。それは多様な価値が存在する中で、自分とは異なる文化や歴史に立脚する人々とともに、それぞれ異なる意見や考え、アイディアなどを交換し、正解のない課題、経験したことのない課題を解決していかなければならない「多文化共生」の時代でもある」[34] と位置付けられているように、教育・次世代育成の分野では競争よりも共生のためのコミュニケーション力が志向されている。

2-6-2. わかりあえないということを分ち合って

　言語や生活習慣や宗教的背景や価値観、つまり文化の異なる人々と当たり前に関わることになり、そうしたなかでは当たり前に、互いにどうしても「わかりあえない」ような状況が出て来るし、摩擦も起きる。お金は、そんな時には有効なコミュニケーションツールかもしれない。そういう意味では、お金を共通のツールとして展開する経済的コミュニケーションは、意外にスムーズに進む面がある。ただ当然「金の切れ目が縁の切れ目」ということがある。また、現在世界中で起きているテロや紛争は、お金によるコミュニケーションだけでは解決しがたい、世界観や価値観、歴史観にかかわるコミュニケーションの問題なのである。

*34 コミュニケーション教育推進会議「子どもたちのコミュニケーション能力を育むために」文部科学省，2011,p.1

コミュニケーションにかかわるグローバルな状況においては、日本のなか、家族や仲間内の間では通用した「空気を読む」というスキルも通用しない。「わかりあえる」「わかりあっている」という前提を一旦捨てて、言葉その他をやりとりし、手段を駆使しながら、お互いの間になんとか共通認識、共通項を創造しようと双方が協力し合うこと。あきらめずにその努力を続けることができる力。コミュニケーションが円滑に進めばいいが、「コミュニケーションが不調に陥ったときにそこから抜け出す」ことができる力[*35]。さらに言えば「これ以上はわかりあえないということを分かち合った相手」とも、それでも共存・共生できると信じられる力。そんな力が問われる場面も少なくないだろう。

2-7. 個の確立とコミュニケーション
2-7-1. 開かれた個と原子人

ひとりひとりにとってのコミュニケーションの意味について考えてみよう。

コミュニケーション教育に関する国の会議報告を再び参照すると、社会の変化にともなって、子どもたちには次のような能力が求められるとしている。

> 21世紀を生きる子供たちは、積極的な「開かれた個（自己を確立しつつ、他者を受容し、多様な価値観を持つ人々と共に思考し、協力・協働しながら課題を解決し、新たな価値を生み出しながら社会に貢献することができる個人）」であることが求められる[*36]。

「開かれた個」とは、聞きなれない言葉である。「個」であることと「開かれて」あることは、一見相矛盾するようにも思われる。例えば、現代の子どもたちの多くは、ことあるごとに「個性を磨け」「自己を確立せよ」「自分のことは自分で」「自立せよ」と、繰り返し鼓吹される。その場合の個性や自己のイメージは、ゆるぎなく、独立独歩の、閉じた全き円のようなものではないだろうか。だからこそ「開かれた個」と言われると、一瞬、違和を感じてしまうのであろう。そうした、言わば「閉じた個」という通念に再考を促す狙いがあって、あえて「開かれた個」という語を対置したものであろう。逆に言えば、あえてそのような言葉を作らなければならないほど、子供たちといわず若者といわず、現代の日本人は、互いにバラバラに切り離された「閉じた個」を生きている、とみなされているのである。内田樹は、そのように、人と人とがバラバラに切り離されてある様子を称してアトム（原子）化された存在すなわち「原子人」と呼ぶ[*37]。

一人ひとりが原子化していくことは、一方で、消費を拡大し、市場を広げて経済活動を活発にする上では効果があった。それは例えばかつては集落に一台

*35 内田樹「内田樹の研究室」，2013,12.13 投稿，http://blog.tatsuru.com/2013/12/29_1149.php

*36 コミュニケーション教育推進会議「子どもたちのコミュニケーション能力を育むために」文部科学省，2011,p.1

*37 内田樹「ためらいの倫理学」角川書店，2003

であったテレビや電話が、やがて一家に一台になり、一部屋に一台並みになり、ついには、一人一台になりするということは、それだけモノが売れるということである。そのように、技術と経済と社会が絡み合いながら、「原子人」を生み出してきた。今や死でさえ原子化している。

2-7-2. 個の殻を破って

　多くの子供たちはその成長の過程で、まずは年齢によって、次いで学力・能力によって、あるいは親の経済事情によって…というように繰り返し験され選り分けられて、粒のそろった同質性の高い集団として囲い込まれて育つ。気の合う限られた集団の中でのコミュニケーションには長けていても、それ以外の他者とのやりとりは、苦手と言うより、その機会が与えられないまま成人する。同質性の高い集団のなかでのコミュニケーションは、「言わずもがな」の、親密な「温室のコミュニケーション」を醸成する一方、往々にして「空気」と呼ばれる同調圧力が集団を支配し個人を圧迫する。内向きに閉じられた同質性の高い集団のなかでは、かえって些細な差異があげつらわれて、いじめに代表される関係性の病理が発現することも珍しくない。

　そのような環境、人間関係下にあっては、「個を確立する」ということは、他者と何かを分かち合うというよりも、容易に他者に浸潤されないようにするため、そこに閉じこもり、ひきこもるための「殻」をつくり、あるいは「防御壁」をめぐらすことのようにも見える。

　バラバラな、原子化した個になっていく私たちに対して、時代は「開け」と要請する。個は個でありながら「開かれた個」であれという。そのためにも、コミュニケーションせよ、その力をつけよ、と訴える。

2-7-3. 弱さの情報公開

　「開かれた個」のイメージは、全き閉じた円環ではなく、その一部分が開かれた、言い換えると一部を欠いた円環である。まさにそのように欠けた部分を持つことによって、私たちは、初めてつながることができる。

　北海道浦河にある社会福祉法人「浦河べてるの家」は、統合失調症やアルコール依存症など、さまざまな病気や障がい、生きづらさを抱える人たちが集まり、暮らす共同体である。さまざまな挫折を乗り越えながら、町の人びとに当事者の立場から語りかけ、町の中にたくさんの共同住居をつくり、有限会社をつくり、ごみ処理や介護の事業に加わり、福祉ショップや福祉法人、NPO を立ち上げるなど、多種多様な事業・活動を展開している。そのことによって、全国的に知られている。

　べてるの家の「名物」とも言われるのが、「当事者研究」という実践活動であ

る。それは、「統合失調症などを抱える当事者が、仲間や関係者と共に、自らの抱える生きづらさや、生活上の課題を、「研究者」の立場から解き明かしていく試み」である[38]。この当事者研究の発表大会には、地域の人も大勢参加する。

このべてるの家の活動の中からは、「降りていく生き方」「苦労を取り戻す」等、広く知られるキーワードが生まれているが、「弱さの情報公開」という言葉もそのひとつである。「弱さの情報公開」とは、困った経験、失敗の体験、苦労の体験の公開のことである。これを提唱する向谷地によると「「弱さ」という情報は、公開されることによって、人をつなぎ、助け合いをその場にもたらします。その意味で、「弱さの情報公開」は、連携やネットワークの基本となるものなのです」と述べている[39]。

弱さを開くことによって、弱さを通して、人とつながること。「開かれた個」ということの中には、そんなことも含まれているのかもしれない。「自己を確立し」「人に頼らず」「迷惑をかけず」と教え込まれてきたものには、それは案外難しい、勇気のいることである。そして、SOS を発することができないために起きる悲痛な事件も多いのではないか。世間の多様性を知り、仲間との絆があれば「弱さを力に」変えることもできるのである。

じつは、相手に対する「自己開示」というのも、プロが教えるコミュニケーションの秘訣のひとつなのである。

2-8. 「いる」「する」、そして「なる」ということ

最後に、学生と地域のコミュニケーションについて考えよう。

滋賀県立大学には「スチューデントファーム近江楽座」という全国的に知られた学生主体の地域貢献活動がある。地域貢献に特化した課外活動、つまり基本的には授業とは一線を画したこのプログラムに、それでも何百人もの学生が、毎年飛び込んでくる。他学の教員の中には、そこに驚く人も多い。「単位もない、バイト代も出ないのに、どうしてこんなにたくさんの学生たちが、自ら進んで近江楽座に飛び込んでいくのか」と。たしかに、近江楽座の活動では、単位も出ない、（個人的な）金銭的な利益は得られない。けれども近江楽座には、そのぶん大いに「葛藤するチャンス」がある。単位が取れるから我慢するということも、お金を理由に苦労を引き受けるということもできない。そんな学生が、地域の、課題の現場で、そこにいる人々の間で、さまざまな葛藤を経験する。ときには「自分は何のためにこんな面倒なことをしているんだろう」と自問自答しながら。もちろん、そこでしか味わえない固有の楽しみも、喜びもある。

地域と学生の関わりについて、地域にとっての学生の価値という観点からみてみよう。ひとつにはそこに「いる」「いてくれる」という関わり方・価値がある。次にそこで「する」「してくれる」という関わり方・価値がある。だが学生

[38] 向谷地生良「安心して絶望できる人生」NHK出版，2006,p.3

[39] 向谷地生良,前掲書,p.27

の真骨頂は地域での「いる」と「する」とを通して「なる」という、そのこと、その可能性を大いに秘めた存在であることである。

　地域の人々の関心は、学生が地域に「いて」またなにか「する」ことによって、地域自体がどんどんよく「なって」いくことにもあるが、もうひとつ、学生たちが地域での活動や学び、地域でのコミュニケーションを通して、いったいどんな大人に「なって」いくのか、ということも、大いに楽しみにしながら見守っているのである。

　学生が地域での「いる」こと「する」ことを通じて何者かに「なる」。その時、学生だけがひとり「なる」ということはあり得ない。学生が地域に「いる」ことや、学生が地域で「する」ことは、同時に地域の「なる」にも関わっている。あるいは学生と地域、それぞれの「いる」「する」「なる」が、相互に様々なパターンで関わり組み合わさりながら展開していく。学生と地域が「共に育つ」とはそういうことだ。

2-9.　コミュニケーションが育むもの

　若いうちには、なるたけたくさんの他者と出会ったら良い。自分の天分を、はじめから自分で分かっているという人はまれである。だから、はじめから自分の限界を小さく見積もらなくて良い。

　「天職」のことを英語で「Calling」というのには相応の意味がある。何が天職か、何が自分の個性であり可能性なのか自分にどんな職能があるのか、私が決めるのではなく、他者の呼び声に応える形でそれらは私に発現する。現場に、状況に飛び込んで、右往左往しながら、精一杯、現場に応え、状況に応えることで開花するものがある。時代の転換のただ中で「正解のない課題」や「経験したことのない問題」に遭遇するということは、すなわち、新しい自分、新しい私たちを見つけ出し、あるいは育むチャンスがそれだけあるということだ。

　はじめから「自分さがし」にこだわらなくても良い。また逆に、無理に「誰かの、地域のため」にと自分を殺す必要もない。リアルに何事かを経験している時、真に何事かに感動している時、何かに没頭している時、誠実に課題と向き合っている時、私たちはおのずと「無私」の存在になっている。他人の不幸や地域の課題、あるいは友人の喜びに共に「我を忘れて」、現場に、状況に没頭しながら、じつは、そのことを通して、皆それぞれの自分になっていく。

　けれども、ここで結論を急ぐことは止そう。たった一つの正解を得るのがここでの目的ではないのだから。「コミュニケーションとは何か」ということを、まさに隣人とのコミュニケーションを通じて考えよう。それぞれの考えを持ち寄って「コミュニケーションについてコミュニケーションしよう」というのがわれわれの目標だったのだから。

3　SDGs と地域共生

－持続可能な開発目標と、その実践に向けて－

予習　テキストをよく読み、授業までに以下の内容についてノートにまとめること。

① テキストを読み、SDGs とは何かを簡潔に説明しなさい。

② SDGs の特徴を 3 点挙げなさい。

※予習にかかる時間はおおよそ 1.5 時間を想定している。

3　SDGs と地域共生

3-1.　はじめに

　本章では、地域共生を考える一つの切り口として、国連が掲げた「SDGs（エスディージーズ）」について学び、考える。授業を通じて、SDGs の基礎的な知見を得ると共に、滋賀県や県内の方々、県大および県大の学生達が取り組む、地域での SDGs に向けた取り組みを知り、皆さん一人ひとりが SDGs に向けて何ができるかを考える。

3-2.　SDGs の背景
3-2-1.　地球観と人類の持続可能性

　私たちの社会は「持続可能」だろうか。あと 10 年、20 年、50 年、100 年先にどのようになっているだろうか。SF 映画で見るように、あるいはアニメでみるように、人類は地球を捨てて宇宙で暮らしているのだろうか。

　地球における人類の持続可能性についての考えは、1960 年代から唱えられるようになった。2020 年現在から遡ること 60 年前である。しかし、この 60 年間で、人類はいまだに持続可能性を手にしたとはいえない状況にある。あと 30 年、20 才の人が 50 才になるころには、持続可能性について考え始めてから 100 年が経つことになる。その間に、人類は持続可能性を手に入れることができるであろうか。

　SDGs が生まれた背景の根幹には人類の持続可能性への考究がある。そしてその必要性への気づきを与えたひとつが「地球環境」に対する認識であろう。地球環境なしでは私たち人類は生きることはできず、経済も社会も成立しない。持続可能性を考える上で地球環境を切り離すことはできない。

　1960 年代からの地球観は人類と地球環境との共生についてどのような示唆を与えたのか。最初の気づきは、1961 年世界初の有人宇宙飛行に成功したことであろう。ガガーリンが宇宙から地球をみて「地球は青かった」[*1] と報告した。その後、1968 年にはアメリカのアポロ 8 号が地球の写真撮影に成功[*2] し、美しい青い星は全世界に知れ渡ることとなった。これが人類の地球観の変革をもたらし、地球の「持続可能性」を問うようになった。

　1960 年代はまさに人類が宇宙に出て、地球を認識することができるようになった時代といえよう。人々は青く美しい地球を見て、その存在の尊さに気がついた。では、持続可能性を得るにはどのようにすれば良いのか。ここでは、そうした地球観を基礎として、人類の持続可能性のあり方を示した考えを二つ紹介しよう。

*1　実際のロシア語は若干異なり「空はとても暗かった。一方、地球は青みがかっていた」と訳されている

*2　ナショナルジオグラフィック HP https://natgeo.nikkeibp.co.jp/atcl/news/18/122700576/

「宇宙船地球号操縦マニュアル」R・バックミンスター・フラー著[3]

初版はアメリカで 1968 年出版。フラーは建築家であり思想家。地球を一つの宇宙船と捉え、その宇宙船における人間の振る舞いに警鐘を鳴らした。

「私たちが原子炉からのエネルギーにもっぱら頼り、自分たちの宇宙船の本体や装備を燃やしてしまう愚かささえ犯さなければ、「宇宙船地球号」に乗った全人間の乗客が、お互い干渉し合うこともなく、他人を犠牲にして誰かが利益を得たりすることもなく、この船全体を満喫することは十分実現可能なことだとわかっている。あまりに近視眼的に未来を見通すこともなく、化石燃料や原子力エネルギーを濫用し開発していくことは、ちょうどセルフスターターとバッテリーだけで自動車を走らせるようなもので、バッテリーが干上がってしまえば、自動車そのものを構成している原子を連鎖反応で消費しはじめる以外、再充電できない。」[4]

宇宙船地球号に乗る人間は、その科学技術を地球のシステムと整合させるべきであり、化石燃料に頼らず、持続可能な自然エネルギーを利用すべきと説いている。現代でこそ、自然エネルギーや再生可能エネルギーの重要性が指摘されているが、60 年前すでに、あるべき姿を指摘していた。

「ガイア仮説／ガイア理論」1970 年代

イギリスの科学者（生物物理学、医学）であるジェームズ・ラブロックによって提唱された「ガイア仮説」は、地球を「生物も非生物も含めた総合システム」[5] とする考え。具体的には、人類が持続可能性を得るために、地球が生きていると仮定し、人間の健康ではなく、地球の健康を念頭に置いて、テクノロジーを賢く活用し、その対症療法を行うべきと唱えている。「地球は生きている」と表現したことから他の科学者との論争を生んだ。地球システム学とは異なる[6]。「ガイア」はギリシア神話で大地を司る女神の名。

こうした新しい「地球観」を抱くことができるようになったことが一つの要因として、SDGs をはじめ、現在の我々の「持続可能性」にむけての行動につながっている。しかし残念ながら、その途中では、地球観を持ちつつも、地球を破壊するような行動がとられてきた。地球規模での戦争、自然破壊、経済優先社会、公害問題、そして現代の地球温暖化問題と、人類は地球観を抱きつつも、その歩みは紆余曲折したものであった。

SDGs は 2015 年に定められたものであるが、その根幹には地球環境における人類の持続可能性が問われていることを忘れてはならない。

次に、SDGs を定めた国連で、その概念が具体的にどのように生まれてきたのか、国連の動きについて説明しよう。

[3] R・バックミンスター・フラー著, 芦沢高志訳「宇宙船地球号操縦マニュアル」筑摩書房,2006（2000 初版）※アメリカでの初版は 1968 年

[4] 前掲[1] p.128

[5] ジェームズ・ラブロック著, 秋元勇巳監修, 竹村健一訳「ガイアの復讐」中央公論新社,2010,p.56

[6] ジェームズ・ラブロック著, 松井孝典日本語訳監修, 竹田悦子翻訳「ガイア 地球は生きている」産調出版,2003,前文およびまえがき参照

3-2-2. 国連憲章の具現化

　SDGs は国際連合（United Nations：連合国　以下国連と略）が採択したアジェンダ（行動計画）である。国連は、第二次世界大戦を反省し、もう戦争をしないことを願い、51 カ国の批准のもと、1945 年 10 月 24 日に設立された地球規模の組織である。この国連の憲章には以下のように参加国の共通の目的が掲げられている[7]。

*7　国際連合 HP
https://www.unic.or.jp/info/un/charter/text_japanese/
国連憲章の構成は以下の通り
前文
第 1 章　目的及び原則
第 2 章　加盟国の地位
第 3 章　機　関
第 4 章　総　会
第 5 章　安全保障理事会
第 6 章　紛争の平和的解決
第 7 章　平和に対する脅威、平和の破壊及び侵略行為に関する行動
第 8 章　地域的取極
第 9 章　経済的及び社会的国際協力
第 10 章　経済社会理事会
第 11 章　非自治地域に関する宣言
第 12 章　国際信託統治制度
第 13 章　信託統治理事会
第 14 章　国際司法裁判所
第 15 章　事務局
第 16 章　雑則
第 17 章　安全保障の過渡的規定
第 18 章　改正
第 19 章　批准及び署名

国連憲章（抜粋）[7]

第 1 条　国際連合の目的は、次のとおりである。
1.国際の平和及び安全を維持すること。そのために、平和に対する脅威の防止及び除去と侵略行為その他の平和の破壊の鎮圧とのため有効な集団的措置をとること並びに平和を破壊するに至る虞（おそれ）のある国際的の紛争又は事態の調整または解決を平和的手段によって且つ正義及び国際法の原則に従って実現すること。
2.人民の同権及び自決の原則の尊重に基礎をおく諸国間の友好関係を発展させること並びに世界平和を強化するために他の適当な措置をとること。
3.経済的、社会的、文化的または人道的性質を有する国際問題を解決することについて、並びに人種、性、言語または宗教による差別なくすべての者のために人権及び基本的自由を尊重するように助長奨励することについて、国際協力を達成すること。
4.これらの共通の目的の達成に当たって諸国の行動を調和するための中心となること。

　国連ではこの憲章に基づき、様々な取り組みを行っている。SDGs もその取り組みの一環であることを認識しておきたい。

　そして、SDGs には、前身となる取り組み「ミレニアム開発目標（MDGs）」があった[8]。MDGs は、2000 年 9 月にニューヨークで開かれた国連ミレニアム・サミットで 189 の国と地域が承認した「ミレニアム宣言」と 1990 年代の主要な国際会議で採択された国際開発目標を統合したものであり、2001 年に国連で専門家間の議論を経て策定された。その趣旨には「極度の貧困を削減し、安全でより繁栄した公平な世界を建設するための新たなグローバルなパートナーシップに対するコミットメント」とされていた。

*8　参考：unicef HP
https://www.unicef.or.jp/about_unicef/about_mill.html　ほか

　MDGs は、発展途上国向けの開発目標として、2015 年を期限とする 8 つの目標が設定されていた。

MDGs の 8 つの目標

1：極度の貧困と飢餓の撲滅

2：普遍的な初等教育の達成

3：ジェンダー平等推進と女性の地位向上

4：乳幼児死亡率の引き下げ

5：妊産婦の健康状態の改善

6：HIV／エイズ、マラリア、その他の疾病のまん延防止

7：環境の持続可能性の確保

8：開発のためのグローバルなパートナーシップの構築

2015 年を期日としていた MDGs はどのような成果をあげ、どのように
SDGs へと継承されたのか。

　MDGs の評価について「ミレニアム開発目標（MDGs）報告 2015」*9 にお
いて、評価と残された課題と次なるアクションへの示唆が示されている。

　評価については「数々の開発地域で多くの成功を導いてきた」として、8 つ
の目標について以下のように報告している。

*9「ミレニアム開発目標
（MDGs）報告 2015」の
概要（日本語プレゼンテ
ー ション 資 料 ）
https://www.unic.or.jp/
files/e530aa2b8e54dca
3f48fd84004cf8297.pdf

MDGs の目標毎の最終評価

MDGs の各目標	2015 年最終評価
1：極度の貧困と飢餓の撲滅	貧困率が半分以下に減少
2：普遍的な初等教育の達成	2000 年から小学校の児童の就学率が著しく向上
3：ジェンダー平等推進と女性の地位向上	開発途上地域は初等、中等、および高等教育で男女格差を解消した
4：乳幼児死亡率の引き下げ	予防可能な疾病による幼児死亡数の著しい低下は、人類史上で最も偉大な成果
5：妊産婦の健康状態の改善	妊産婦の健康状態に一定の改善が見られた
6：HIV／エイズ、マラリア、その他の疾病のまん延防止	HIV 感染者が世界の多くの地域で減少／マラリアと結核のまん延が止まり、減少
7：環境の持続可能性の確保	安全な飲み水とオゾン層保護に関する目標を達成
8：開発のためのグローバルなパートナーシップの構築	ODA、携帯電話加入者、インターネットの普及における世界的な進歩

　また、「誰一人として置き去りにしない－残された課題－」として、男女間
の不平等が続くこと、最貧困層と最富裕層、都市部と農村部の格差が存在す
ること、気候変動と環境悪化が達成すべき目標を阻んでいること、紛争が人
間開発の最大の脅威であること、数百万人の貧しい人たちは、未だに基本的
サービスのアクセスがなく、貧困と飢餓の中で暮らしていることを指摘した。

　このような背景から、新しい開発目標（SDGs）には、この MDGs を継承
した内容が盛り込まれ、さらに、地球温暖化や経済発展等も加味し、**全世界
が「自分事」として共有できる目標**を加えた形とされた。

　人類の歴史を振り返ると、20 世紀前半までは長い戦いの時代であった。第
二次世界大戦後、国連憲章が定められ、人類初の「共存戦略＝戦争、飢餓を
なくす、人権を守る」、が定められた。しかしながら、世界各地の紛争、飢餓、
人権侵害はなくなることはなかった。MDGs の取り組みでは一定の成果を得
たが、すべての課題解決はできなかった。また、時代の流れから新たな課題
も生まれてきた。そうした背景の中、SDGs は生まれたのである。SDGs は
これまでのアジェンダが進化した「未来との共存戦略」であり、全人類にと
っての「共通言語」になろうとしている。

*10 国際連合広報センターHP
https://www.unic.or.jp/activities/economic_social_development/sustainable_development/2030agenda/
アジェンダ（英文）
http://www.un.org/ga/search/view_doc.asp?symbol=A/RES/70/1&Lang=E
アジェンダ（日本語訳）
http://www.mofa.go.jp/mofaj/files/000101402.pdf

アジェンダの構成は以下の通り
・前文
・宣言（53段落）
・持続可能な開発目標とターゲット
・実施手段とグローバル・パートナーシップ
・フォローアップとレビュー

3-3．SDGs は「社会変革」を目指すもの

　SDGs は「<u>S</u>ustainable <u>D</u>evelopment <u>G</u>oals」の略称で、2015 年 9 月の国連サミットにおいて全会一致で採択された「我々の世界を変革する：持続可能な開発のための 2030 アジェンダ」*10 が掲げる国際社会共通の目標である。誰一人取り残さない持続可能で多様性と包摂性のある社会の実現を目指し、2030 年を年限とする 17 の目標（ゴール）と 169 のターゲット、232 の指標で構成されている。世界中で政府、国際機関、援助組織、研究者、企業、市民社会らが 3 年かけて議論を重ねて国連サミットで採択された。

　SDGs とは何を目指し、どのような仕組みで目標を達成しようとしているのか、アジェンダをもとにその要点について考えてみよう。

3-3-1．ねらいは「社会変革」

　SDGs という言葉が一人歩きしているが、策定されたアジェンダのタイトルは「**Transforming our world: the 2030 Agenda for Sustainable Development**」我々の世界を変革する：持続可能な開発のための 2030 アジェンダであり、「世界を変革」したいことが明示されている。何をどう変革したいのかというと、アジェンダの前文（前半）にあるように「極端な貧困を含む、あらゆる形態と側面の貧困」を「撲滅する」ことが「最大の地球規模の課題」であり、これを解決することが、持続可能な開発の必要条件である、ということである。SDGs のゴールや指標に目が行きがちであるが、アジェンダの根幹にあるのは、貧困のない社会を実現するための「社会変革」であり、その仕組みと目標（ゴール）が定められていることを念頭に置くことが必要である。

アジェンダの前文（前半）下線は筆者追記

　このアジェンダは、<u>人間</u>、<u>地球</u>及び<u>繁栄</u>のための行動計画である。これはまた、より大きな自由における普遍的な<u>平和</u>の強化を追求するものでもある。我々は、<u>極端な貧困を含む、あらゆる形態と側面の貧困を撲滅する</u>ことが<u>最大の地球規模の課題</u>であり、持続可能な開発のための不可欠な必要条件であると認識する。

　<u>すべての国及びすべてのステークホルダーは、協同的なパートナーシップ</u>の下、この計画を実行する。我々は、人類を貧困の恐怖及び欠乏の専制から解き放ち、地球を癒やし安全にすることを決意している。我々は、世界を持続的かつ強靱（レジリエント）な道筋に移行させるために緊急に必要な、大胆かつ変革的な手段をとることに決意している。我々はこの共同の旅路に乗り出すにあたり、<u>誰一人取り残さない</u>ことを誓う。

　今日我々が発表する <u>17 の持続可能な開発のための目標（SDGs）</u>と、<u>169 のターゲット</u>は、この新しく普遍的なアジェンダの規模と野心を示している。これらの目標とターゲットは、ミレニアム開発目標（MDGs）を基にして、ミレニアム開発目標が達成できなかったものを全うすることを目指すものである。これらは、すべての人々の人権を実現し、ジェンダー平等とすべての女性と女児のエンパワーメントを達成することを目指す。これらの目標及びターゲットは、<u>統合され不可分のもの</u>であり、<u>持続可能な開発の三側面、すなわち経済、社会及び環境の三側面を調和させるもの</u>である。

　これらの目標及びターゲットは、人類及び地球にとり極めて重要な分野で、向こう 15 年間にわたり、行動を促進するものになろう。

3-3-2. 「5つのP」で表される決意

アジェンダの前文（後半）には、アジェンダの決意として5つのP＝People,Planet,Prosperity,Peace,Partnership が記されている。

アジェンダの前文（後半）見出し番号と下線は筆者追記

①People　人間
　我々は、あらゆる形態及び側面において貧困と飢餓に終止符を打ち、すべての人間が尊厳と平等の下に、そして健康な環境の下に、その持てる潜在能力を発揮することができることを確保することを決意する。
②Planet　地球
　我々は、地球が現在及び将来の世代の需要を支えることができるように、持続可能な消費及び生産、天然資源の持続可能な管理並びに気候変動に関する緊急の行動をとることを含めて、地球を破壊から守ることを決意する。
③Prosperity　繁栄
　我々は、すべての人間が豊かで満たされた生活を享受することができること、また、経済的、社会的及び技術的な進歩が自然との調和のうちに生じることを確保することを決意する。
④Peace　平和
　我々は、恐怖及び暴力から自由であり、平和的、公正かつ包摂的な社会を育んでいくことを決意する。平和なくしては持続可能な開発はあり得ず、持続可能な開発なくして平和もあり得ない。
⑤Partnership　パートナーシップ
　我々は、強化された地球規模の連帯の精神に基づき、最も貧しく最も脆弱な人々の必要に特別の焦点をあて、全ての国、全てのステークホルダー及び全ての人の参加を得て、再活性化された「持続可能な開発のためのグローバル・パートナーシップ」を通じてこのアジェンダを実施するに必要とされる手段を動員することを決意する。

　持続可能な開発目標の相互関連性及び統合された性質は、この新たなアジェンダ（以後「新アジェンダ」と呼称）の目的が実現されることを確保する上で極めて重要である。もし我々がこのアジェンダのすべての範囲にわたり自らの野心を実現することができれば、すべての人々の生活は大いに改善され、我々の世界はより良いものへと変革されるであろう。

3-3-3. 変革させる仕組み

　このアジェンダには、変革させるための仕組みも記載されている。抜粋すると以下の5点が挙げられる。

①すべての国及びすべてのステークホルダーがパートナーシップを形成すること
②誰一人取り残さないこと
③17の目標（SDGs）と、169のターゲットを設定すること
④目標及びターゲットは、統合され不可分のものであること
⑤持続可能な開発の三側面、すなわち**経済、社会及び環境の三側面を調和**させるものであること

　これらの中で、特に注目する点は⑤である。これまで世界は経済優先の活動を良としてきたが、社会、環境という側面との調和が大事であることを明記している。このことは、ESG投資*11 などで具体的に社会に浸透しつつある。

*11　ESG投資とは、従来の財務情報だけでなく、環境 Environment 社会 Social・ガバナンス Governance の要素も考慮した投資のこと
出典：経済産業省HP https://www.meti.go.jp/policy/energy_environment/global_warming/esg_investment.html

3-3-4. 開発目標の構成と特徴

　開発目標は、前文で紹介した課題を解決するための 17 の目標（ゴール）と、各目標の下に詳細な 169 の目標で構成されている。17 の目標は、解釈の仕方で、あらゆる国が対象とできるものである。一方、169 の目標については、各国によっては該当しないものもある。目標に対する評価はインデックスで公表されている[*12]。目標の構成をみると、目標 1〜6 は MDGs を継承しどちらかと言えば発展途上国向けの内容であり、目標 7〜12 はどちらかと言えば先進国向けの内容である。さらに、目標 13〜17 は地球規模で共有すべき内容となっている。**このように発展途上国、先進国の両者の課題を包括し世界中の国が自分事として考えることのできる構成**となっている。

*12　日本の取り組みついては、外務省の HP で評価が報告されている
https://www.mofa.go.jp/mofaj/gaiko/oda/sdgs/statistics/goal2.html

*13　アジェンダ（日本語訳）
http://www.mofa.go.jp/mofaj/files/000101402.pdf

持続可能な開発目標（外務省 HP のアジェンダ日本語訳より抜粋）[*13]

持続可能な開発目標

目標 1.　あらゆる場所のあらゆる形態の貧困を終わらせる

目標 2.　飢餓を終わらせ、食料安全保障及び栄養改善を実現し、持続可能な農業を促進する

目標 3.　あらゆる年齢のすべての人々の健康的な生活を確保し、福祉を促進する

目標 4.　すべての人々への包摂的かつ公正な質の高い教育を提供し、生涯学習の機会を促進する

目標 5.　ジェンダー平等を達成し、すべての女性及び女児のエンパワーメントを行う

目標 6.　すべての人々の水と衛生の利用可能性と持続可能な管理を確保する

目標 7.　すべての人々の、安価かつ信頼できる持続可能な近代的エネルギーへのアクセスを確保する

目標 8.　包摂的かつ持続可能な経済成長及びすべての人々の完全かつ生産的な雇用と働きがいのある人間らしい雇用（ディーセント・ワーク）を促進する

目標 9.　強靱（レジリエント）なインフラ構築、包摂的かつ持続可能な産業化の促進及びイノベーションの推進を図る

目標 10.　各国内及び各国間の不平等を是正する

目標 11.　包摂的で安全かつ強靱（レジリエント）で持続可能な都市及び人間居住を実現する

目標 12.　持続可能な生産消費形態を確保する

目標 13.　気候変動及びその影響を軽減するための緊急対策を講じる*

目標 14.　持続可能な開発のために海洋・海洋資源を保全し、持続可能な形で利用する

目標 15.　陸域生態系の保護、回復、持続可能な利用の推進、持続可能な森林の経営、砂漠化への対処、ならびに土地の劣化の阻止・回復及び生物多様性の損失を阻止する

目標 16.　持続可能な開発のための平和で包摂的な社会を促進し、すべての人々に司法へのアクセスを提供し、あらゆるレベルにおいて効果的で説明責任のある包摂的な制度を構築する

目標 17.　持続可能な開発のための実施手段を強化し、グローバル・パートナーシップを活性化する

*国連気候変動枠組条約（UNFCCC）が、気候変動への世界的対応について交渉を行う基本的な国際的、政府間対話の場であると認識している。

この開発目標の特徴は大きく3点挙げられる。

ひとつは、目標設定型の取り組みであることである。期限を切って定めた目標に対して、それをいかに実現するか、という**バックキャスティング**の手法となっている。目標と期限が明確であれば、それを達成するためには、逆算して計画を作ることが求められる。

ふたつめは、変革させる仕組みで指摘したように、「目標及びターゲットは、統合され不可分のものである」という前提で目標が記載されていることである。すなわち、個々の目標は分かれて記載しているが、解決にあたっては、目標やターゲットを複合、連携させ、包括的な視野で柔軟に取り組むことが求められているということである。

3つめは、このアジェンダには「具体的に何をどうやれば解決できるか」という答えは明示されていない。持続可能な開発目標とターゲット、実施手段とグローバル・パートナーシップ、フォローアップとレビューは書かれているが、それらは理念の共有や連携の推奨、金融や技術的なフォロー体制の構築などとなっている。すなわち、アジェンダに対する取り組みは、個々の課題の事情に合わせて、柔軟に対応し、とにかくゴールを目指しましょう、というスタンスであり、反対に考えれば、**SDGsへの取り組みは、多様な解釈が可能で、取り組みの自由度が高いもの**となっている。

3-3-5. 実践方法

では私たちはSDGsにむけて、何をすれば良いのか？どんなことができるのか。ひとつは、SDGsの取り組みに参画することであろう。17のゴール、169のターゲットの指標を改善するような取り組みへの参加である。海外でも国内でも良いので、世界の貧困撲滅のための活動に協力するなどが考えられるであろう。

そんなたいそうなことはちょっと、という人は、身近な活動でもSDGsに貢献することができる。例えば「貧困問題」は途上国に限ったことではなく、日本国内でも起こっている。全国で実施される「子ども食堂」は、様々な事情により、食事ができない、居場所がないという子どもたちを支援する仕組みである。近年ではフードバンク事業や飲食店、自治体の連携も多く行われている。こうした現場で「やれること」をやってみるのもよいだろう。子どもたちの食事や居場所がないという社会課題をどのようにすれば良いのか、現場で感じ、考えることがSDGsへの貢献につながる。

1人ひとりが、「世界を変革しよう」、「よりよい世界をつくろう」という**「持続可能な開発のための2030アジェンダ」の趣旨を理解し、共感し、できることを実践することが大切である。**

3-4. 滋賀県における SDGs：先駆的な理念や取り組み

　滋賀県は「環境県」と呼ばれるほど、環境への取り組みが熱心な県である。その根底にあるのは、「琵琶湖」の存在。そして、琵琶湖を取り巻くようにドーナッツ状に形成された県の形である。1977 年に発生した琵琶湖の「赤潮」は、「石けん運動」に発展し、滋賀県民の意識を大きく変えることになった。ここでは、滋賀県における持続可能な社会形成の理念や取り組みを紹介する。

3-4-1. 滋賀県は全国に先駆けて SDGs を宣言した県

　滋賀県に息づく、経済・社会・環境の調和につながる考え方は、SDGs の精神と合致することから、2017 年 1 月、滋賀県は、全国に先駆けて、SDGs を県政に取り込むことを宣言した。「新しい豊かさ」を SDGs で具現化することを目指している。

SDGs の普及および実践に係る滋賀の取組（滋賀県 HP より抜粋[14]）

> 　2017 年 1 月、滋賀県は全国に先駆け、SDGs を県政に取り込むことを宣言しました。
> 　滋賀県は、琵琶湖を健全な姿で次世代に引き継ぐため、琵琶湖の環境にやさしい石けんを使う「石けん運動」を行うなど、官民挙げて環境保全に熱心に取り組んできた地域です。また、中世以降全国で活躍した近江商人の「三方よし（売り手よし、買い手よし、世間よし）」の精神や、戦後日本の「障害福祉の父」と呼ばれる糸賀一雄氏の「この子らを世の光に」という思想を受け継ぎ、実践してきた土地でもあります。こうした、滋賀県に息づく、経済・社会・環境の調和につながる考え方は、SDGs の精神と合致するものです。
> 　滋賀県は、県の政策に SDGs の視点を活用するとともに、経済界、大学等多様なステークホルダーとのパートナーシップを拡大しており、県内では、SDGs の達成に向けた様々な取組や新たな連携が次々と生まれています。

3-4-2. SDGs に通ずる滋賀県発祥の理念

　滋賀県には、その地の利や環境に育まれた理念が多くある。ここではその一部を紹介しよう。

（1）近江商人の商い

　近江（おうみ）は明治維新前の滋賀県の呼び名。近江商人は「中世から近代にかけ、近江を本拠地として日本中を行商し、各地の需要に合わせた商売で日本経済の発展に大きく貢献」した商人。「自らの利益のためだけでなく、社会貢献活動を視野においた商いの精神」、「【売り手よし】【買い手よし】【世間よし】すなわち【三方よし】」[15][16]の理念は SDGs に通じるものとして多くの企業や経営者に親しまれている。

　近江商人の商いの理念は「家訓」などで世代を継いで伝えられてきた。それらのうちいくつかを紹介しよう。

「始末してきばる」[17]

　「始末」は「節約」、「きばる」は「努力する」の意味。近江商人は薄利多売で商売を行ったが、そうした商売においても、節約して努力すること

*14　滋賀県 HP
https://www.pref.shiga.lg.jp/kensei/gaiyou/sdgs/300677.html

*15　三方よし研究所ホームページ
https://sanpo-yoshi.net/

*16　三方よしの原典については議論があり、末永國紀「近江商人中村治兵衛宗岸の「書置」と「家訓」について 「三方よし」の原典考証」 同志社商学，1999，50 巻 5-6 号 pp25-56 を参照

*17　渕上清二「近江商人ものしり帖」2006，NPO 法人三方よし研究所

が美徳とされた。現代の大量生産大量消費社会やそれから生まれた環境問題の解決策として通じる考えである。

「利真於勤」[18]

「利は勤むるにおいて真なり」。「利益を第一の目的とするのではなく、世の中の需給を調整するのが商人の任務で、その任務を遂行したときに、その余沢として利益が得られる」という考え。コミュニティビジネスやESG投資のような正しい経済活動のあり方を示している。

「先義後利栄」[18]

「義」を優先して「利」を後にすれば栄えるという意味。利益追求でなく、実施する意味や意義を大切にしようという考えといえる。何のための経済活動か、社会活動か、その意義を見定めることの大切さを示唆している。

これらの教えのように、近江商人は「商売」とは何か、どうあるべきかという理念を持って活動を行っていた。SDGsで唱えられている、環境と社会と経済のバランスを先駆的に実践していたといえよう。

（2）湖の豊かさの保全：琵琶湖の漁師の知恵と技[19]

琵琶湖漁師の戸田直弘さんの仕事は「魚を逃がす」仕事だという。魚を捕るのが漁師の仕事であるが、戸田さんの考えは「有限の大自然琵琶湖、漁師は獲るために守り、守るために獲る。魚を逃がすのも漁師の仕事」という。

戸田さん曰く「お金になるホンモロコ、ニゴロブナ、アユは死んでいてもお金になる。だからと言って、1円にもならない魚を決して粗末にしない。1円にもならない魚は、命のあるうちに琵琶湖に戻す。他の魚がおってのホンモロコ、ニゴロブナ、アユだと思っているから。私らにとったら売り物にならない魚こそ、命のあるうちに琵琶湖に逃がしてやる、戻す、そういうのも漁師の仕事やと思っています」。

湖にかかわる人間として、湖の豊かさの保全を実践する。SDGsのように堅い言葉でなく、暮らしの中であたりまえのように、なにげなく実践しているところは、持続可能な社会のあるべき姿を提示してくれている。

（3）食文化の継承：鮒ずし職人の知恵と技[19]

滋賀県高島市マキノ町の左嵜謙祐さんは、鮒ずしを提供する「魚治」の7代目店主。鮒ずしは伝統的な発酵食品「なれずし」の一種で、その強烈な匂いから毛嫌いする人もいるが、漬け方では匂いも少なく、近年では健康食品として注目を集めている。鮒ずしという食文化の継承には日常が大切と左嵜さんは言う。

*18　三方よし研究所資料ダウンロードページ
https://sanpo-yoshi.net/download/

*19　上田洋平「SDGsと滋賀のグローカル・イノベーション‐近江のくらしとなりわい‐」資料,2019

「毎日の鮒ずしの桶の水替えが子どもの自分に与えられた日課でした。昨日も今日も、面倒だなあと思うこともあったけれど、今になって、この毎日のあったおかげと思うことがあります。鮒ずしを漬けるについて、その「正解」は未だにわからないのだけれど、「間違い」は分かるようになっていた。「異変」に瞬時に気付く力がついていた。鮒ずし蔵に入った瞬間「！」「おかしい」という直感が働けば、その違和感を出発点に対処を始めることができます」。

　今日ある昨日と変わらぬ仕事、明日の今日と変わらぬ時間、暮らしのなかの、そうした時間やものごとをこそ丁寧に行うこと、その大切さを左嵜さんは教えてくれている。滋賀県の地の利と環境が育んだ丁寧な暮らしの実践と継承が、持続可能な社会の根幹となるのではないであろうか。

（4）魚のゆりかご水田・世界に誇る「びわ湖システム」[20]

　滋賀県では現在、多くの圃場で整備がなされているが、圃場整備がされるまでは、琵琶湖から内湖、そして田んぼへと水辺の環境は緩やかに繋がっていた。内湖は魚にとって天敵が少なく餌が豊富な場所であり、田んぼは産卵・繁殖の格好の場所であった。そうした田んぼは「魚のゆりかご」として機能し、毎年湖魚の命の循環を支えていた。

　圃場整備により、田んぼと用水路の高低差が2メートル近くなり、生き物を締め出してしまったが、滋賀県では圃場整備という人間の開発行為と魚との共存を図ることを目的に、「魚のゆりかご水田」の取り組みが行われている。「魚のゆりかご水田」は、生き物が激減した田んぼに魚道を設置し、かつての琵琶湖周辺でごく当たり前に見られた、人と生きものの関係や景観を復活させる取り組みである。魚道は階段状に整備[21]され、琵琶湖から入ってきた魚は、田んぼに入り産卵することが可能となる。

　この「環境、経済、社会」の調和をめざした「魚のゆりかご水田」を中心とする「びわ湖システム」は、日本農業遺産に認定され、世界農業遺産にも推薦されている。

3-5．SDGs にむけて私たちのできること

　SDGs において大切なのは、「一人ひとりが何をするのか」ということである。滋賀県立大学では、「**SDGs の地域化拠点**」として、SDGs にむけた学生、教職員の取り組みや、地域での SDGs にむけた取り組みの推進を支援している。SDGs を学んだ人は、**自分自身の暮らしや活動が人類や地球、社会の持続可能性にどのように貢献できるのか、考えてみてほしい。**

*20　滋賀県ホームページ　魚のゆりかご水田プロジェクト
https://www.pref.shiga.lg.jp/ippan/shigotosangyou/nougyou/nousonshinkou/18537.html

*21　階段状の魚道
出典：滋賀県ホームページ　魚のゆりかご水田プロジェクト
https://www.pref.shiga.lg.jp/ippan/shigotosangyou/nougyou/nousonshinkou/18532.html

3-5-1. SDGs の「地域化」拠点[22]

滋賀県立大学は「地域に根ざし、地域に学び、地域に貢献する」という開学の理念に沿って、2018 年に SDGs 宣言を行った。

滋賀県立大学 SDGs 宣言（2018.6.16）

S：滋賀県立大学は「キャンパスは琵琶湖。テキストは人間。」をモットーに
D：誰一人取り残さない持続可能な社会を目指し
G：グローカルな思考と実践をもって
s：世界と地域の発展に貢献します

この宣言をスタートとして大学は、「SDGs 地域化拠点」となることを目指し活動を実践している。地域化拠点とは、グローバルな知見・実践とローカルな知見・実践の融合・発信拠点となるという意味である。具体的には、SDGsの世界的な取り組みを授業や講演で学生や地域に伝え、学生や地域の SDGs活動（ローカル SDGs）を全国や世界に発信している。

3-5-2. 学生の地域での活動

地域に根ざし、地域に学び、地域に貢献することをモットーとした滋賀県立大学では、学生が地域で様々な活動を実践している。地域の持続可能性に寄与する活動は SDGs に通ずる。未来を見据え、地域社会に、環境に、地球に、暮らしに、そして自分に良いことを身の丈で実践すれば良い。そうした身近な活動が集積し広まり、つながって SDGs に貢献することができる。

①スチューデントファーム近江楽座[23]

「スチューデントファーム近江楽座（おうみらくざ）」は、地域の人々と連携・協力して地域活性化に取り組む学生プロジェクト（地域貢献に特化した課外活動）に活動等経費を助成する制度である。2022（令和 4）年度までの 19 年間で、延べ 426 のプロジェクトが行われ、延べ約 9500 名の学生が参加し、全国的にも有名な活動となっている。

東日本大震災で被災した宮城県南三陸町　田の浦の復興まちづくり支援活動

②近江楽士（地域学）副専攻[24]

地域教育プログラムのうち、近江楽士（地域学）副専攻の科目：地域デザイン A,B,C,D では、地域をフィールドに持続可能性に寄与する活動を実践している。授業であるので、一過性のものもあるが、授業後に継続して活動を続けているものもある。授業をきっかけに、学生で「できること」「できそうなこと」を見つける機会となっている。

*22　滋賀県立大学×SDGs Action SDGs 達成への取組
https://www.usp.ac.jp/campus/centers/chiikicyosa/z122/

*23 スチューデントファーム近江楽座（おうみらくざ）：
http://ohmirakuza.net/

*24　滋賀県立大学　地域教育プログラム
https://www.usp.ac.jp/gakubu/tiiki/

例1：伝統文化の復活

　長浜市鍛冶屋町では、地域デザインAのフィールドワークをきっかけに、20年ぶりに太閤踊りが復活した。

鍛冶屋町の住民と学生、太鼓サークルが連携して太鼓を叩く

例2：商店街のSDGs活性化

大津市のナカマチ商店街では、地域デザインAのフィールドワークで「SDGsお弁当ラリー」企画し、SDGsイベントとしての定着を目指している。

参加者が商店街を巡り昔ながらの木折箱でSDGsお弁当をつくる

例3：地域の居場所づくり

　地域デザインCはコミュニティ・カフェ(コミュニティビジネス)がテーマ。彦根市下石寺町では、地元の米を使ったスウィーツを開発し、居場所づくりを継続している。

地元の米の米粉を用いたスウィーツを開発し月1回のカフェを開催

例4：SDGsで「つながる」：キャンパスSDGsびわ湖大会

　SDGsを「共通言語」とし、滋賀県立大学では2018年から「キャンパスSDGsびわ湖大会」を開催し、地元小中高校生、全国の大学生、地域の社会人が「SDGs」をキーワードに集い、ワークショップや意見交換を行っている。

4　人が人として生きていくための共生①

ーコミュニケーションとはー

予習　テキストをよく読み、授業までに以下の内容についてノートにまとめること。

① テキストを読んで、コミュニケーションにおける「接近的行動」について簡潔に整理
　しなさい。

② 「人と人が互いに分かり合う」コミュニケーションのためのポイントを３つ挙げる

※予習にかかる時間はおおよそ 1.5 時間を想定している。

*1　E.M.ロジャーズ
著, 安田寿明訳：コミュ
ニケーションの科学, 共
立出版, 1992

4-1. コミュニケーションとは

コミュニケーション communication という言葉は、ラテン語の communicatio/communicare に由来し、「分かち合うこと、共有すること」を意味している。E.M.ロジャーズ[1] も、コミュニケーションを「相互理解のために参画者が互いに情報をつくり分かち合う過程」と定義し、2人以上の間で情報を共有する相互的なプロセスであることを示している。

人間は、社会のなかで他者との関わりをもって共に生活している。社会が形成され、他者との関係を形成し発展させていく上で不可欠なものがコミュニケーションである。動物は動作や鳴き声などによってコミュニケーションを成立させるが、言語を用いることはできない。一方、人間は言語を用いることによって、相手を理解しようと接近し、共感し合うことができる。すなわち、人間は言語を用いたコミュニケーションによって、「人と人が互いに分かり合う」ことを可能にする。社会のなかで生活を送る人間にとって、コミュニケーションなしでは自分を理解してもらうことも、他者を理解することもできないのである。

本章では、他者との関係性において参考となる考え方を紹介し、コミュニケーションの基本について考えていく。

4-1-1. 共にある全体存在としての「我」と「汝」

では、社会のなかで人間は他者とどのように関わりをもって共に生活しているのか。M.ブーバー[2] は「我と汝」の著書のなかで、自身である「我」と他者である「汝」の存在について次のように述べている。

*2　M.ブーバー著、田
口義弘訳：我と汝・対話,
みすず書房, 1987

自身である「我」の人格は、他者である「汝」との関係を「共に存在しているもの」として認識している。さらに、「我－汝は、ただ存在の全体でもってのみ語られ得る。私の存在が集一し溶解してひとつの全的存在となることは、決して私のわざによることではないが、私なくしては決して起こりえない。私は汝との関わりにおいて我となり、我となることによって私は汝を語るのである。あらゆる真に生きられる現実は出会いである。」

すなわち、人間は常に他者と共にある全体存在であり、部分的に関わるのではなく、自分のすべてをかけて他者と関わり合うというものである。この著書で示されている他者との関係性についての考え方は、コミュニケーションを考える上で参考になる。

4-1-2. 共に成長する関係性－ケアリングの概念

　看護学を学ぶ中で、ナイチンゲールの思想や看護論を学ぶことは自明であるが、近年、「ケアリング」も看護学の中核となる概念として注目されている。「ケアリング」は「care」の名詞・形容詞であるが、看護学では、ただ単に「気遣い」「世話をする」だけでなく、多様な意味を持つ。M.メイヤロフ[*3]は、ケアリングについて次のように述べている。

「一人の人格をケアするとは、最も深い意味で、その人が成長すること、自己実現することを助けることである。（中略）相手が成長し、自己実現することをたすけることとしてのケアは、ひとつの過程であり、展開を内にはらみつつ人に関与するあり方であり、それはちょうど相互信頼と、深まり質的に変わっていく関係をとおして、時とともに友情が成熟していくのと同様に成長するもの」である。

*3　M メイヤロフ著，田村真・向野宣之訳：ケアの本質　生きることの意味，ゆみる出版，1987

　また、「私は自分自身を実現するために相手の成長をたすけようと試みるのではなく、相手の成長をたすけること、そのことによってこそ私は自分自身を実現するのである。私が相手を必要とするということは、私が相手の全人格的統一性を尊重し、さらにそれを深めていくということと結びついている。」とも述べている。

　メイヤロフはこの著書「ケアの本質」のなかで、ケアの概念について「比較的長い過程を経て発展していくような他者とのかかわり方」と述べている。人間はひとりでは生きていけない。人間は、社会のなかで絶えず他者とケアし合う関係性のなかで生きている存在であり、その深まりのなかで相互に成長発展するということを示している。このような、人間は全体存在としての他者を尊重し相互信頼する関係性のなかで、ともに成長発展をとげるという「ケアリング」の考え方も、他者との関係性、コミュニケーションを考える上で参考になるものである。

4-1-3. コミュニケーションの要素

　では、コミュニケーションとはどのような要素から構成されているのか。コミュニケーションの基本的な要素は、送り手、受け手、メッセージ、手段の４つである。

・送り手：送り手は伝えたいこと（メッセージ）を受け手に向けて送る。
・受け手：送り手からのメッセージを受取り自分なりに解釈し判断する。その反応としてメッセージを送り手に返す。
・メッセージ：送り手が受け手に伝えようとする意味内容であり、情報、思考、感情などである。

・手　段：送り手が受け手にメッセージを伝えるための具体的な方法。

　　　　　手段として最も多く用いられるのは言語（言語的コミュニケーション）である。言語以外（非言語的コミュニケーション）の手段もある。

　コミュニケーションは、送り手と受け手による言葉のキャッチボールといわれる。送り手から送られたメッセージの解釈・解説は受け手がもつ知識やコミュニケーション能力、人生経験、社会的環境・文化的背景に影響される。送り手が伝えていることが少しのひずみなく受け手に伝わるとはかぎらない[4]。ミスコミュニケーションをなくすためには、<u>メッセージを正確に表現し、適切なメッセージの伝達手段を選択すること</u>が大切である。

4-1-4. 言語的コミュニケーションと
　　　　　　　　　　　非言語的コミュニケーション

　メッセージを伝える手段は、言語によるものと、それ以外の非言語によるものがある。人が人に伝える意味内容のうち 90% 以上は言語以外といわれている[5]。

・言語的コミュニケーション（verbal communication）:
　　　　　　　言語を用いて伝えるコミュニケーション

　言語を用いてメッセージを伝えるコミュニケーションを言語的コミュニケーションという。人はその人が過ごした時代や文化背景のなかで言語を理解し、互いに分かり合うための能力を獲得する。人間にとっての言語とは、自分の考えや思い、感情をメッセージとして他者に伝えることのできる有効な手段である。

　言語的コミュニケーションには、言葉を用いて話すことと、言葉を媒体にするという意味から書くことも含まれる。例として、<u>話し言葉、書き言葉（文字、手紙、メール等）</u>がある。

・非言語的コミュニケーション（nonverbal communication）:
　　　　　言語以外を用いて伝える（伝わる）コミュニケーション

　非言語的コミュニケーションは文字通り、言語以外を媒体として伝える、もしくは伝わるコミュニケーションである。<u>非言語的コミュニケーションの媒体には、声の調子やスピード、声の高低や強弱、顔の表情、目の動き、ジェスチャー（身振り手振り）、動作や姿勢、対人距離や位置関係、服装・ヘアスタイル・化粧・装飾品などの外観</u>がある。感情と密接に関連

*4　系統看護学講座
基礎看護技術 I　基礎
看護学③第 7 版,第 1 章
コミュニケーション,医
学書院，2019

*5
Mehrabisn,A.,Silent
Messages,Wadsworth,
Belmont,California,
1971.

している表情は、非言語的コミュニケーションのなかでも重要である。

　また、言語的コミュニケーションとは異なり、無意識のうちにメッセージが他者に伝わることもある。相手に苦手意識を持っていると、笑顔を作ったとしても、無意識のうちに表情がこわばる、声のトーンも低くなるなど、意図していないメッセージが伝わる。人の態度や行動には、その人の感情や信念、価値観など、総合されたものが無意識に現れてしまう。世代によって、外観に対する価値観も異なるため、コミュニケーションの対象となる人の背景も考慮しておくことが必要である。

4-1-5. 関係構築のための基本的態度（接近的行動）

　コミュニケーションを円滑にし、人との関係構築を促進させる行動（接近的行動*6）について、いくつか紹介する。

①自己紹介

　人間の社会では初めて会う人同士が何かを一緒に行おうとするときには、最初にお互いの名前を名乗り、自分を紹介する。このことは、最も初歩的で基本的な礼儀である。そうすることで「私はあなたの敵ではなく、あなたと対等な者ですよ」ということを伝えるメッセージになる。

②外見・身だしなみ

　派手な服装や髪型、厚化粧、装飾品などは、本人がそうは思っていなくても他者から見れば自己主張が強く、受容的でないと思われることもある。身だしなみは相手に発する最初のメッセージである。自分らしさを表現するために茶色く染めた髪や無精ひげ、肌が露出した服装などは自己主張が強く受容的な人ではないと思われたり、世代によっては印象が悪くなったりする場合がある。したがって、清潔感のある服装や身だしなみを心がける必要がある。

③表情

　視覚的な情報は言語的な情報よりも伝わりやすい。接近的態度を端的に伝えるメッセージの代表は、笑顔といえる。笑顔は、相手を歓迎することや好意を示すという受容的なメッセージを伝えやすく、場合によっては承認や安心のサインにもなる。しかし、日本人の場合、失敗したときやバツが悪いとき、それを隠すために笑顔を作ることもある。笑顔は挨拶の表現だと思っている欧米人がみると奇妙に思うかもしれない。自然な笑顔は、努力して身につけることもできる。

*6 系統看護学講座　基礎看護技術Ⅰ　基礎看護学③第7版，第1章コミュニケーション，医学書院，2019

④視線

　目の動きは感情を表現する。視線（目の高さ）は、重要な非言語的メッセージの一つである。視線は、送り手と受け手の間に支配的優劣を生じさせるため、相手の目の高さに合わせることが大切である。

　目は口ほどにものを言う。相手が話している場合にも「あなたの話を聞いている」というメッセージを伝えることができる。アイコンタクトが少なすぎると拒絶感を感じやすく、多すぎると心地悪くなるため、適度なアイコンタクトに心がける。

⑤相手との距離・身体の向き

　対人距離にも意味がある。2者間の距離については、密接距離（親密な関係の空間距離）、個体距離（個人的な関係の空間距離）、社会距離（社会生活上のビジネスのための空間距離）、公衆距離（公式的な会話のために公的距離）の4つに分類されている[7]。例えば、密接距離は45cm以内、社会距離（近接相）は1.2〜2.1mと言われている。しかし、物理的な距離だけの問題ではなく、たとえば感染防止のために用いられているアクリル板は、相手との距離感や閉塞感を生じさせることも理解しておく必要がある。

　また、身体の向きも重要な要素である。2者が対面して会話するとき、もっともリラックスできる位置は斜め45度であるとされている。目を合わせたり、そらしたり、観察したりしやすいためである。一方、正面に向き合って座る位置は、互いに視線をそらし難く緊張感が高まりやすい、対立型といえる。威圧感を与えることもあるので注意が必要である。横並びは恋人、親しい友人、家族のように両者の関係が親密な場合には適しているがそうでない場合は圧迫感や不快感を与える。

⑥姿勢・動作

　袖やポケットの中に手を突っ込む、腕組みをする、足を組んで座るなどは、他者に脅威を感じさせる場合もあり、注意が必要である。また、会話中に髪をいじる、ペンをまわす、貧乏ゆすりをするなどは、相手を不安にさせ、ネガティブな非言語的メッセージを伝えることにもなる。

⑦声量・声のトーン

　いくら言語的メッセージが人に寄り添うものであっても表情や声のトーン、大きさなどが適していないと相手には伝わらない。ボソボソと抑揚のない小さな声で「おはよう」と言われると、活気ややる気を感じられず、相手によい印象を与えない。抑揚とは、声を張ったり緩めたりすることで

*7　Edward,T.H著，日高敏隆他訳：かくれた次元，みすず書房，1970

会話に表情をつけるものである。一方、優しい口調で明快に挨拶をされると、相手に自信や安心といった印象を与えることができる。高齢者や幼児はゆっくり話した方が理解しやすい。

⑧ジェスチャー

ジェスチャーは最も明瞭な非言語的コミュニケーションであり、中でも手の動きは表情に富み、伝達内容を視覚的に補足し相手の理解を促進させる効果がある。

4-1-6. 関係構築のための基本的態度としてのユマニチュード

ユマニチュードは「人間らしさを取り戻す」というフランス語の造語であるが、Y. ジネスト*8 はこの考え方を取り入れ、「優しさ」を伝える技術としてユマニチュードを紹介した。

ユマニチュードの目的は、対象となるその人との関係を結び、「優しさ」、すなわち、「あなたのことを大切に思っている」ということを対象となる人に伝えることである。対象が介護を受けるような脆弱で困難な状況にある人の場合には、ユマニチュードの考え方に基づいた「見る」「話す」「触れる」といった技術を意識的に用いることも必要である。

１つひとつのかかわりにおいて意識すべきポイントの１つに、「近くから相手の視線をとらえる〈アイコンタクト〉」というものがある。特に看護の現場では、認知能力が低下している患者さんとのコミュニケーションは、意思疎通が難しく、困難を抱える場面も多々ある。こちらが患者さんの目を見ているつもりでも、患者自身がこちらを見ようとしない限りは、相手にはこちらのことが見えていない。どんなに近くにいても、相手にとって私は存在しておらず、どんなに声をかけても、その声は雑音でしかない…と、「ユマニチュードと看護」*9 には記載されている。このような場面は、大学生のみなさんにとっては非日常的であり、あまり関係がないと思うだろう。しかし、普段会話を行う時に相手と視線が合っていなければ、こちらの言っていることが伝わらないということもあるのではないだろうか。そのような時は、見ているつもりではなく、「見る」という技術を用いてコミュニケーションを測ってみると、違う関係性が築けるかもしれない。本田は、前書*9 で以下のように述べている。

「ユマニチュードは、優しさをうまく伝える「技術」であり、技術さえ身につければ、たとえ優しさはなくてもプロにはなれる（笑）。でもよい関係性を続けるうちに、自然と互いに気持ちは深まっていくことを経験している。」

*8 Y., ジネスト・R.マレスコッティ著, 本田美和子訳：家族のためのユマニチュード, 誠文堂, 2018

*9 本田美和子, 伊東美緒著, ユマニチュードと看護, 医学書院, 2019

現在は、SNSでのやりとりも増えており、実際に対面して関係性を深めていくことが得意でない人もいるだろう。仲良くなりたいのに、人見知りでなかなか声をかけることができず、上手くいかないという思いを持つ人もいるだろう。そんな時も、本章で紹介した、コミュニケーションの技術を身につけていくことで、相手とよい関係性を築ける一歩となると考える。

　以下、事例をもとに「聴くこと」「話すこと」「気持ちを理解し受けとめること」について具体的に考えていくことにする。なお、事例は「仲間とみがく看護のためのコミュニケーションセンス[*10]」を参考に作成した。

4-2. 「聴く」ことについて考える

　「きく」ことは、聴覚からの刺激を受けて、何らかの情報をキャッチすることであるが、文字で表現すると「聞く hear」と「聴く listen」の2種類がある。

　<u>「聞く」とは、人の話や外界の音が耳に入る、聞こえること</u>であり、本人の注意や意識の有無は問わないので、いわば身体器官（聴覚系）を中心とした活動といえる。一方、<u>「聴く」ことは、一生懸命に注意深く耳を傾けて聴くことである</u>。まさに、相手の心の声まで集中して聴くということができる。耳を傾けること、<u>「傾聴」とは看護行為の1つでもあり、「相手の感情や思考にそって、相手の話に耳を傾けること」と定義されている</u>[*11]。看護における「傾聴」は、ただ熱心に「聴く」ということにとどまらず、対象者が感じている辛い、悲しいなどの気持ちをありのまま受けとめ、軽減できるよう介入していく関わりである。

　傾聴で大切なことは共感的な理解である。相手の言葉を分析や判定するなど評価的に理解するのではなく、相手が経験している感情、主観的な意味を自分自身も感じられるように理解することが重要である。

4-2-1. 次の会話事例1をもとに、「聴く」ことについて具体的に考えてみよう

会話事例1

　娘①：（帰宅してきた父親に駆け寄って）ねえ、お父さん。

　　　　私、今日学校で先生に褒められたんやで。

　父①：ふーん、よかったやん。

　　　　（言い終えた後すぐに、台所にいる妻に向かって）

　　　　あ、そうそう、お母さん。

　　　　今日帰る途中、面白いもん見たわ。

*10　大森武子、大下静香、矢口みどり著, 仲間とみがく看護のためのコミュニケーションセンス, 医歯薬出版株式会社, 2013

*11　看護行為用語分類, 日本看護科学学会看護学学術用語検討委員会編, 日本看護科学学会出版会, 2005

娘②：（不機嫌そうに他の部屋に行こうとする）

父②：おい、お前も聞きや。

　　　面白い話なんやで。

娘③：もうええわ。

　　　私、宿題するし。

（1）会話事例1では、父は「聴く」ということができているだろうか？

　　何が問題なのか、どうすればよかったのか、考えてみよう。

4-2-2.「聴く」姿勢を表現する

　あなたの話を聴いているということをどのように表現すると、相手に伝わるのか。

　事例1の父は「よかったやん」と娘に言葉では返事をしており、聴くことができているように思える。しかし、すぐに妻に向かって「あ、そうそう、お母さん。」と自分の話したいことを話し始めている。娘の方に向かって、顔や体の向きをかえることをしていない。そのため、娘は、父親が自分（娘）の話より父親自身の関心事に気持ちが向いていると感じ、「もうええわ。」と話すことを諦めてしまった。つまり、娘には、父親からの「聴いている」というメッセージが伝わらなかったといえる。これらのことより、「聴く」姿勢の表現は、必ずしも「よかったやん」といった言語だけではないことがわかる。したがって、メッセージを受け取る受け手も、相手に「聴いている」ということを伝える表現をすることが重要である。

①　「聴く」環境を整える

　気兼ねなく話すことができるプライバシーを保てる静かで落ち着ける空間を準備する。

②　言語的コミュニケーション

　相手がこの人は私の話を聴いていると感じるのはどんな時だろう。聴き手は受容的・共感的な対応を基本とする。そのためには、聴き手は相手の話を真剣に聴くだけではなく、「聴いている」「聴く姿勢がある」ということを伝える必要がある。受容・共感のためのポイントを以下に挙げる。

・相手の言葉を繰り返す　「・・・ですね」

・相手の話した内容を変えずに整理して言い換える

・相づちをうつ　「そうね」「そうですね」「おやおや」・・

・もっと話を聴きたいことを伝える　「それで？」

・相手の話を勝手に解釈して意見を押しつけない

③　非言語的コミュニケーション

相手との距離や位置関係、身体の向き、視線や表情、動作などに留意し、相手の話を真剣に聴いているということを表現する。

4-3.「話す」ことについて考える

コミュニケーションは、言葉のキャッチボールと言われる[12]。

先にボール（メッセージ）を投げる人（送り手）がいないと始まらない。キャッチボールにおける投げ方のポイントは、相手（受け手）がボールを受け取れるように投げるということである。これは、「話す」ということを考える視点とすることができる。話し手が一方的に話せばよいというものではない。自分が話したこと（メッセージ）を相手が受け取ってくれなければ、独り言と同じであり、相手に話したことにはならない。

4-3-1.　次の会話事例2をもとに、「話す」ことについて具体的に考えてみよう

会話事例2

母①：（玄関から息子に）ユウジー、今日お母さん仕事遅くなるしー、夕食の支度頼むわー、ご飯炊いといてやー。

おかずは何か買ってくるしー、わかったー？

息子①：（自分の部屋から顔出して）えー？何？

母②：8時までにやっといてくれたらいいから。じゃあ頼んだしな。

（玄関を出ていく）

息子②：え？何が8時までなん？ま、ええか。今日はどうせ8時に帰れへんし。

（8時、母親帰宅。鍵のかかっているドア）

母③：え、まだ帰ってへんの？（しばらくして）

息子③：ただいまー、あー、腹減ったー。

母④：おかえり。お腹すいたと違うわ。ご飯の支度頼んどいたのに。なんでこんなに遅いんよ（怒った表情）。

息子④：えー、うそ。僕、ご飯の支度頼まれてたっけ？

今日は部活で遅くなるの、わかってたし。そんなん聞いてへんよ。

母⑤：ちゃんと言うたわ！LINEもしたし。

息子⑤：知らんわ。そんなん聞いてへんわ。（二人とも不機嫌な表情）

*12　伊藤守：この気持ち伝えたい,ディスカバー・トゥエンティワン,1992

（2）会話事例2は、「話す」ということができているだろうか？
何が問題なのか、どうすればよかったのか、考えてみよう。

4-3-2.「話す」ことを成立させるポイント

　事例2では、母親は息子がどのような状態にあるか関係なく、話し続けていた。息子は話を聴く姿勢になっていないため、話の内容が全く伝わっていないことがわかる。話の内容が夕食作りに関するお願い（頼み事）であったため、全く伝わっていなかったことで、頼んだことができていないと怒る母親と、頼まれた覚えがない息子との間に、離齬が生まれてしまった。事例1では、相手（受け手）が話を聴く姿勢であるかということに問題があったが、事例2では、自分（話し手）も相手が話を聴ける状態であるか確認できているかということに問題があったといえる。

「話す」ことを成立させるためには、話し手は以下のことに留意する。

　　① 相手が聴く姿勢になっているか、聴ける状態であるかを確認する

　　② 相手がメッセージを受け取ったかを確認する

　　③ 相手にわかりやすい表現で内容を伝える

4-4. 相手の気持ちを理解し受けとめるために－アサーション[13]

　コミュニケーションは、送り手と受け手による言葉のキャッチボールといわれる。しかし、単なる「言葉」のやりとりではなく、その背景に相手の気持ちや考え（メッセージ）が存在する。お互いの気持ちや考えを尊重し、自分も相手も大切にした自己表現である「アサーティブ」にコミュニケーションを図ることが望ましい。お互いを大切にしながら、それでも率直に、素直にコミュニケーションをすることを「アサーション」という。

　アサーティブでないコミュニケーションタイプの典型例としては、攻撃的タイプ、受け身的タイプ、作為的タイプがある。相手と対等な関係で向き合い、率直なコミュニケーションを図れるように、まずは自分自身のコミュニケーションの傾向を知ることが大切である。人が自分の性格を変えることは難しいが、行動を改めることはできるため、上手な自己表現の方法を学んでいけるとよい。

4-4-1. 次の会話事例3をもとに、お互いの気持ちや考えを尊重し「相手の気持ちを理解し受けとめる」ことについて、具体的に考えてみよう

*13　平木典子：自分の気持ちをきちんと伝える技術，PHP研究所，2020

会話事例３

弟①：（新しいゲームをやっている姉に）あ、何それ？　僕にもやらせて？

姉①：いややわ。

弟②：何やねん。ケチ。

姉②：だって、今やり始めたばっかりやし。あんたって、人がやり始めたらすぐ横取りするんやから。

弟③：ほな、もうええわ。（部屋を出ていく）

姉③：（しばらくゲームした後に）
　　　終わったからもうええよ。貸してあげよう。

弟④：（不機嫌そうに）もういらんわ。

（３）会話事例３の姉は、「相手の気持ちを理解し受けとめる」ということができているだろうか？
　　　何が問題なのか、どうすればよかったのか、考えてみよう。

4-4-2. 「相手の気持ちを理解し受けとめる」ためのポイント

　「相手の気持ちを受けとめる」ためには、相手の言動をもとに対象となるその人の意思を推測、さらに尊重し、理解し受けとめることが重要である。「相手の気持ちを尊重する」ためには、まず相手の心を開くこと。相手の気持ちや考えを受けとめているということが伝わることで、相手の心が開くのである。さらには、お互いに尊重し、信頼し合う姿勢が生まれるのである。

　事例３では、姉がゲームをしていることに弟が気づき、自分もやりたいという気持ちを伝えたが、「いややわ」と断られてしまった。さらに姉に否定的な言葉を言われたことで「もうええわ」とふてくされてしまった。姉は、いつも弟に横取りされている過去があるため、今は代われないという気持ちを伝えただけであり、終わったら代わってあげようと思っていたが、今ゲームがしたいという弟の気持ちを理解せず、受けとめてあげられなかったといえる。

4-5. 次回までの個人課題（事前学習）

　ワークシートの会話事例４について、ワークシートに自分で考え記入してくる。「相手の気持ちを理解し受けとめる」ことができているのか、あなたならどう対応するか、考えてみよう。

　次回は、考えてきたことをグループで意見交換し、どうあるべきかをいっしょに考えたい。

教員によるコミュニケーションをテーマとした寸劇の様子

column：未来看護塾

■未来看護塾とは

　『未来看護塾』は、滋賀県立大学「近江楽座」における<u>学生主体の地域貢献プロジェクトチーム</u>のひとつです。2004年発足当初より、「地域のさまざまな人々が心も体も生き活きと健康な生活が送れるよう支援する」ことを目的として幅広く活動しています。

SDGs 17のゴール　目標3：すべての人に健康と福祉を

あらゆる年齢のすべての人々の健康的な生活を確保し、福祉を促進する

⇩

「未来看護塾」の活動目的

地域のさまざまな人々が心も体も生き活きと健康な生活が送れるよう支援する

■具体的な活動

① 入院患者（児）さんに対して

　小児科病棟での子どもたちとの遊び、脳外科病棟での患者さんへのハンドマッサージ、緩和ケア病棟でのディサービス、入院患者さんへのリラクゼーション支援などを毎月定期的に行っています。

② 地域に住む中高年の方に対して

　地域の老人会において、血圧測定などの健康チェックや健康教室を毎年行っています。また、卒業生や教員も協力して市内の商業施設において、健康イベント「応援！生き活き健康生活」を毎年行っています。

③ 地域に住む親子、障がいをもつ子どもたちに対して

　保育園やNPOなどで子どもたちとの交流や発達支援を行っています。このほか、保育園での夏まつり、地蔵盆、大学祭での「ちびっこ広場」など、子どもたちとの遊びを通しての交流を行っています。

④ 被災地の方、地域に住む人々に対して

　南三陸町　田の浦地区の方との「いきいき健康交流」を震災の翌年から毎年継続して行っています。また、地域に住む人々の防災意識の向上のため、毎年「防災訓練」支援を学生および教員も協力して行っています。

病院でのクリスマス会

南三陸町　田の浦の方々との「いきいき健康交流」

未来看護塾の紹介動画　　

5　人が人として生きていくための共生②

－「人と人が互いに分かり合う」コミュニケーションのために－

予習 テキストをよく読み、授業までに以下の内容についてノートにまとめること。

① 会話事例 4 について、自分で考え記入してくる。

「相手の気持ちを理解し受けとめる」ことができているのか、あなたならどう対応するか、考えてみよう

※予習にかかる時間はおおよそ 1.5 時間を想定している。

5 人が人として生きていくための共生②

5-1. 「人と人が互いに分かり合う」コミュニケーションのために

5-1-1. 相手の気持ちを理解し受けとめる

　相手の言動から気持ちを読みとり、その<u>気持ちを理解し受けとめているということを伝える</u>表現をすることが大切である。相手の気持ちを受けとめているということが伝わることで、相手の心が開く。また、相手に認められていると感じると、人はその人に対して心を開く。そして、相手の言うことを受け入れ、さらにはその人自身を受け入れ、<u>お互いに尊重し、信頼し合う姿勢</u>が生まれるのである。

5-1-2. 会話事例4について分析し、書き換えよう。
（1）会話事例4の内容を分析しよう
　　　会話を3つのパートに分け、それぞれについて、患者の気持ち、ナースに対する意見を書き出し、あなただったらどうするか考えてみよう。
（2）上記の分析を踏まえ、事例4の言動（シナリオ）を書き換えよう
　　　その際にそれぞれのパートについて、①相手の意思を尊重し、正しく伝える表現、②相手の意思を尊重し、気持ちを理解し受けとめようとする姿勢、③互いの意思を尊重する姿勢、を意識してみよう。

5-1-3. 事前学習の各自の考えをもとに、グループで考えよう
（1）会話事例4のナースの対応は何が問題なのか？議論しよう
　　　個人課題をもとに、グループで意見交換しよう。
（2）どう対応すればよかったのか？議論しよう
　　　「相手の気持ちを理解し受けとめようとする姿勢」「互いの意思を尊重する姿勢」という視点から個人課題をもとに、グループで意見交換しよう。
（3）事例4の言動（シナリオ）をグループで書き換えよう
　　　シナリオの書き換えをグループで考え、スケッチブックへ転記し、ロールプレイで実演して 、もとの事例の言動と比較してみよう。
（4）「人と人が互いに分かり合う」コミュニケーションのために今から、自分にできることは何だろうか？各自でまとめよう

【1人で考えよう（事前学習）】会話事例4の内容を分析しよう

会話事例4

事例4（課題）切迫早産のため入院している患者Aさん（30代女性）への洗髪援助の場面　*大森武子他：仲間とみがく看護のコミュニケーションセンス、2003、医歯薬出版株式会社をもとに事例作成

Pt（患者）およびNs（ナース）の言動	患者の気持ちを読みとってみよう	事例の中のナースに対する意見	あなたならどう対応するか
Ns：Aさん、昨夜は頭が痒くて眠れなかったそうですね。これから洗髪させてもらいますね。準備してきますが、トイレは大丈夫ですか？（淡々とした口調で） Pt：トイレは大丈夫ですけど、今から都合悪いですか？都合が悪ければ午後にしますけど…（困惑した表情で） Ns：はい、何か都合悪いですか？都合が悪ければ午後にします。（淡々とした口調で） Pt：いや、今でいいです。お願いします。 Ns：では、準備できますから。 （洗髪の準備を整え、再び訪室。患者の髪の毛を洗い始める） Ns：入院されてから、髪の毛は洗ってなかったですか？（髪の毛を洗いながら、淡々とした口調で） Pt：ええ、お湯でしぼったタオルをもらったときに自分で拭いていたんです…頭や首のあたりが痒くて…どうなってますか。（小声で、不安そうな表情） Ns：首の後ろにあせもができてますね。（髪の毛を洗いながら、淡々とした口調で） Pt：やっぱり。私汗っかきなんですよ…。今は安静にしないといけないし、目の前でシャワーにも行けないので…（小声で、情けなさそうな表情） Ns：すみません…。髪の毛を洗ってほしいとか言ってくださいね。（髪の毛を洗いながら、淡々とした口調で） Pt：頭、看護師さんは忙しそうなので、つい言いそびれちゃうんです。（小声で、トーンも低い） Ns：看護師が訪室したときに、なにかあれば言ってください。（表情なく、強い口調で） Pt：はい…。（淡々と、強い口調で） Ns：洗髪は終わりました。今度から手やほご自分で拭いてください。（淡々とした口調で言いながら、患者にタオルを手渡す） Pt：はい…。（小さな声）			

73

【1人で考えよう（事前学習）】事例4の言動（シナリオ）を書き換えよう

会話事例4（課題）切迫早産のため入院している患者Aさん（30代女性）への洗髪援助の場面

① 相手の意思を尊重し、正しく伝える表現

Pt（患者）およびNs（ナース）の言動
Ns：Aさん、昨夜は頭が痒くて眠れなかったそうですね。これから洗髪させてもらいますね。準備してきますが、トイレは大丈夫ですか？（淡々とした口調で） Pt：トイレは大丈夫ですけど、今からですか？（困惑した表情で） Ns：はい。何か都合悪いですか？都合が悪ければ午後にしますけど・・（淡々とした口調で） Pt：いや、今でいいです。お願いします。 Ns：では、準備してきますから。

Pt（患者）およびNs（ナース）の言動
Ns：Aさん、昨夜は頭が痒くて眠れなかったそうですね。（辛そうな表情をして、Aさんと目線を合わせて） 「　　　　　　　　　　　　　　　　　　？」 （視線：　　　　　　口調：　　　　　　） Pt：それは嬉しいです。（嬉しそうな表情で） あせもでもできたんじゃないかなと思って。すごく痒いんですよ（困った表情で）。 Ns：「　　　　　　　　　　　　　　　・・」 （表情：　　　　　視線：　　　　　） では、これから始めていいですか？ Pt：ええ、お願いします。 Ns：トイレは大丈夫ですか？ Pt：はい、大丈夫です。 Ns：では、準備してきますので、少しお待ちください。（優しい口調で）

② 相手の意思を尊重し、気持ちを理解し受けとめようとする姿勢

Pt（患者）およびNs（ナース）の言動
（洗髪の準備を整え、再び訪室。患者の髪の毛を洗い始める） Ns：入院されてから、髪の毛は洗ってなかったですか？（髪の毛を洗いながら、淡々とした口調で） Pt：ええ、お湯でしぼったタオルをもらったときに自分で拭いていたんですが・・頭や首のあたりが痒くて・・。どうかなってますか。（小声で、不安そうな表情） Ns：首の後ろにあせもができてますね。（髪の毛を洗いながら、淡々とした口調で） Pt：やっぱり。私汗っかきなんですよ・・ 今は安静にしないといけないし、自分でシャワーにも行けないので・・（小さな声、情けなさそうな表情で）

Pt（患者）およびNs（ナース）の言動
（洗髪の準備を整え、再び訪室。患者の髪の毛を洗い始める） Ns：首の後ろにあせもができてますね。 「　　　　　　　　　　　　　　　」 （動作：　　　　　　視線：　　　　　） （表情：　　　　　　声：　　　　　） Pt：やっぱり。私、汗っかきなんですよ・・ Ns：「　　　　　　　　　　　　　　？」 （髪の毛を洗いながら、優しい口調で） Pt：今は安静にしないといけないし、自分でシャワーにも行けないので・・（小さな声、情けなさそうな表情で）

③ 互いの意思を尊重する姿勢

Pt（患者）およびNs（ナース）の言動
Ns：頭が痒いとか、髪の毛を洗ってほしいとか言ってください。（髪の毛を洗いながら、淡々とした口調で） Pt：すみません・・。看護師さんは忙しそうなので、つい言いそびれちゃったんです。（小さな声、トーンも低い） Ns：看護師が訪室したときに、なにかあれば言ってください。（表情なく、強い口調で） Pt：すみません・・。今度から言います。（小さな声） Ns：洗髪は終わりました。顔や手はご自分で拭いてください。（淡々とした口調で言いながら、患者にタオルを手渡す） Pt：はい・・。（小さな声）

Pt（患者）およびNs（ナース）の言動
Ns：「　　　　　　　　　　　　　　　」 （表情：　　　　　視線：　　　　　） Pt：看護師さんも忙しいから。（穏やかな表情で） Ns：気がつかないことがあったら、遠慮せずにどんどんおっしゃってくださいね（目線を合わせて、明るい表情で） Pt：はい。（穏やかな表情で）

5　人が人として生きていくための共生②　ワークシート　3／3

【グループで考えよう】

班番号：＿＿＿＿＿　（チーム名：＿＿＿＿＿＿＿）　学籍番号：＿＿＿＿＿＿＿　氏名：＿＿＿＿＿＿＿＿

	司会	書記	メンバー	メンバー	メンバー	メンバー
メンバー 氏名						

① 事例ナースの対応は何が問題なのか？どう対応すればよかったのか？

　　グループで考えたことを以下に簡潔に書きなさい。

・何が問題なのか？

・どう対応すればよかったのか？

② 事例4の言動（シナリオ）を書き換えよう（グループで考え、スケッチブックへ）。

　（グループワーク用　メモ書き欄としてこの枠を使用してください）

【1人で考えよう（まとめ）】

③ 今回の授業を通して、「人と人が互いに分かり合う」コミュニケーションのために、今から自分
　　にできることは何でしょうか？以下に簡潔に書きなさい（自分の目標！）。

75

優秀グループによる舞台上でのプレゼンテーション

6　ひとと技術の共生①

－滋賀の未来のものづくり－

予習　テキストをよく読み、授業までに以下の内容についてノートにまとめること。

① テキストを読んで「滋賀県における産業の歴史と現状」を簡潔に整理しなさい。
② 上記のキーワードを挙げなさい（5つ以上）。

※予習にかかる時間はおおよそ1.5時間を想定している。

6　ひとと技術の共生① 　　ー滋賀の未来のものづくりー

6-1.　共生の観点とものづくり

　特定の個人や集団のみが利益を得るのではなく皆が幸福になる共生社会を目指すときには、時間的共生、空間的共生、社会集団間の共生の、すべてを満たしていることが必要と考えられる。このうち時間的共生とは、特定の世代に利益や不利益が集まらないことを意味している。たとえば地球温暖化防止は現在だけでなく 50 年先、100 年先を見据えた共生の思想に基づいており、その対極には環境破壊を無視した単純な経済発展主義がある。空間的共生とは、特定の地域に利益や不利益が集まらないことを意味している。地方の活性化はこれを目指したもので、その対極にあるのが植民地主義である。社会集団間の共生とは、特定の職業や思想を持つ人に利益や不利益が集まらないことを意味している。近代社会における平等の思想がこれに該当し、他方で自由な思想的発達があったとされながらも住人の半分が奴隷身分であった古代ギリシアはこれに該当しない。また、特定の考えに目覚めた人だけが良い暮らしを出来るという場合も、共生を実現できていないと言える。たとえば、無農薬野菜は高く売れ、意識の高い人が買うとされるが、本当は、全部の農家が農薬の使用をやめても虫害を防げるかを考えてみる必要がある。

　今回はこのような三つの視点に留意しながら、工業を中心とする産業に地域性を生かすにはどうすればよいかを、「滋賀県」を例に挙げて考えていくことにする（同じような方法で考えることは、「九州地方」、「京都府」、「仙台市」、「彦根市八坂町」、「日本国」など、様々な単位に適用できるはずである）。

6-2.　「滋賀県」は鎖国できるか

　「県外産、海外産の野菜よりも、県内で作った野菜を買いましょう。」このような地産地消は、生活者のニーズを反映しやすく地域経済の発展にも役立つとして、注目されている。では、食糧、エネルギー、生活物資などのすべてにおいて滋賀県が完全な地産地消を実現することは可能であろうか。もしもこれが可能なら、県境を閉じて鎖国することも可能なはずである。

　まず、滋賀県の概要を見てみる[*1]。面積は 4017 km² （全国の 1.08%）、人口は 141 万人 （2022 年、全国の 1.13%）である。一般家庭等の電力使用量（工場などは含まない）は 27.3 億 kWh （=9.8×10¹⁵J [*2]、2019 年度・確定値、全国の 1.14%） [*3]、耕地面積は 505 km² （2022 年、全国の 1.17%）、農業産出額は 585 億円 （2021 年、全国の 0.66%）、工業統計の製造品出荷額等は 7.62 兆円 （2020 年、全国の 2.51%）である。

*1　日本国勢図会 2023 /24 年版, p.48, pp.518-519, 矢野恒太記念会 (2023)

*2　J と Wh は共にエネルギーの単位。また、1 kWh＝1000 Wh。W は 1 秒あたりのエネルギー変化（生成や消費）の速度を表す単位で、1 W の変化速度のとき、1 秒間のエネルギー変化が 1J、1 時間のエネルギー変化が 1 Wh。よって 1 Wh＝60×60 J。電気の場合は [1W]=[1A]×[1V]。また、コップ 1 杯(180mL)の水を 50℃温めるのに必要なエネルギーは約 10 Wh。

　以上の内容については、たとえば下記を参照。

（シグマベスト）高校入試 5 科目の要点整理, 文英堂 (2012)

*3　経済産業省・資源エネルギー庁「都道府県別エネルギー消費統計」

これらのデータをもとに、食糧について考えてみる。地球に降り注ぐ太陽のエネルギーは、夜も含めた1日の平均では $342 \mathrm{W/m^2}$ である[*4]。これに $60 \times 60 \times 24 \times 365$ 倍（1年分）を掛けると $1.08 \times 10^{10} \mathrm{J/m^2}$（$3.00 \times 10^6 \mathrm{Wh/m^2}$）となり、更に滋賀県の耕地面積を掛けると、$5.45 \times 10^{18} \mathrm{J}$（$1.52 \times 10^{15} \mathrm{Wh}$）というエネルギーが得られる。これが滋賀県の耕地全体に1年間に降り注ぐエネルギー量である。他方で農業生産では、栽培している植物が地面全体を覆っているわけではなく、また野菜や穀物などの植物が太陽光を有機物に変換する効率は高々5%程度である。更に、我々が食べるのは、種、実、イモなど、植物の一部分だけである。そこで仮に降り注ぐエネルギーの1%が農産物になるとすると（本当はもっと少ない）、そこには $5.45 \times 10^{16} \mathrm{J}$（$1.52 \times 10^{13} \mathrm{Wh}$）のエネルギーが含まれる。他方で成人一人のエネルギー消費量は1日あたり約 $2000 \mathrm{kcal}$（$= 8.38 \times 10^6 \mathrm{J} = 2.33 \times 10^3 \mathrm{Wh}$）である。これに滋賀県の人口を掛け、更に365倍（1年分）すると、$4.31 \times 10^{15} \mathrm{J}$（$1.20 \times 10^{12} \mathrm{Wh}$）となる。これは $5.45 \times 10^{16} \mathrm{J}$（$1.52 \times 10^{15} \mathrm{Wh}$）の1割以下なので、食糧は自給できそうである（ただし「滋賀県」が鎖国すると、バナナ、鯛、鯖は食べられない）。

さて、上の計算では太陽のエネルギーの1%が農産物になると仮定した。実際の値はどれくらいであろうか。実は下表のように、可食部 $100 \mathrm{g}$ あたりの熱量（エネルギー量）[*5]と単位面積当たりの収穫量[*6]を掛け合わせて得られた1年間のエネルギー収量は、この仮定よりもはるかに小さい。上で計算した1年間の日射エネルギー $1.08 \times 10^{10} \mathrm{J/m^2}$（$3.00 \times 10^6 \mathrm{Wh/m^2}$）に対して農産物のエネルギー収量は、米では $0.78 \times 10^7 \mathrm{J/m^2}$（$2.15 \times 10^3 \mathrm{Wh/m^2}$）、つまり効率0.07%であり、サツマイモでも $1.12 \times 10^7 \mathrm{J/m^2}$（$3.11 \times 10^3 \mathrm{Wh/m^2}$）、効率0.10%である。したがって滋賀県の現在の耕地面積の場合、稲作だけだと自給するには約9%不足しており、イモ作り中心へと転換することで、やっと余裕ができる。食糧自給率の低さは滋賀県も日本全体と同じで、鎖国するのは難しい。

表 6-1 農産物による日射エネルギー固定量の実際の値

種類	可食部 $100 \mathrm{g}$ あたり熱量[*5]（kJ）	単位面積あたり収量（kg/10a）	年間エネルギー収量	
			（J/m²）	（Wh/m²）
米	1490	520	0.78×10^7	2.15×10^3
小麦	1410	420	0.59×10^7	1.65×10^3
大豆	1745	180	0.31×10^7	0.87×10^3
ジャガイモ	318	3200	1.02×10^7	2.83×10^3
サツマイモ	552	2031	1.12×10^7	3.11×10^3

注： 収量は日本全体の作付面積と収量のグラフ[*6]から，最大値を計算。
　　単位中の a は面積の単位アールで，$1 \mathrm{a} = 100 \mathrm{m^2}$。

*4　地球温暖化を防ぐ，環境庁「地球温暖化問題研究会」編，日本放送出版会（1990）

*5　堀江武 編著，農学基礎セミナー 新版 作物栽培の基礎，農山漁村文化協会（2004）

*6　後藤雄佐 他著，農学基礎シリーズ 作物学の基礎Ⅰ 食用作物，農山漁村文化協会（2013）

次にエネルギー消費を考える。まず電力を考えると、発電方法には、火力（多量の CO_2 を出す）、原子力（事故を起こすと影響が何十年も続く）、水力、太陽光、風力、地熱、バイオマス（火力の一種だが CO_2 は循環する）などがある。このうち最初の二つは鉱物資源を燃料としており、残りがクリーンエネルギーと呼ばれている。クリーンエネルギーは、地熱発電を除くと太陽エネルギーを利用している。（水力や風力も、大元は太陽エネルギーが降り注ぐことで生じる物質循環である。）滋賀県の一般家庭等の電力使用量は1年間に 9.8×10^{15} J（2.73×10^{12} Wh）である[3]。家庭用エネルギー消費のうち電力は全国平均だと 50 % 程度[7] なので、滋賀県がこれと同じとすると、上記の値の2倍である 19.6×10^{15} J（5.46×10^{12} Wh）くらいが、滋賀県内の家庭の1年間のエネルギー消費になる。全国データでは家庭のエネルギー消費は工業（製造業）を除く全エネルギー消費（農業、サービス業、運輸、建築）の 26 % 程度[8] なので、滋賀県内の工場を全部止めても、76.6×10^{15} J（21.3×10^{12} Wh）くらい必要だとわかる。これを太陽エネルギーで賄うとすると、1年間に降り注ぐ量は食糧のところで計算したように 1.08×10^{10} J/m^2（3.00×10^6 Wh/m^2）なので、少なくとも 7 km^2 が必要になる。実際には、バイオマスエネルギーの場合だと変換効率は 5 % 以下、ソーラーパネルは最新技術でも変換効率 20 % 程度なので、50 km^2 以上は必要であろう。工業まで考えると更にこの2倍程度（10 km×10 km 程度）は必要になる。つまり滋賀県全体の面積の 2.5 % 程度と大きな面積が必要で、エネルギーの面で「滋賀県」の鎖国は難しい。実現するとしても、社会的合意とインフラ整備に時間がかかりそうである。

では、食料とエネルギー以外では、鎖国は可能であろうか。老子は、鶏の声が聞こえるような隣村とも独立した自給自足が理想とした。しかし上のエネルギー問題でも、ソーラーパネル（太陽光発電）や風車（風力発電）などの工業製品が必要になる。また衣類や住居の材料も必要である。これらを滋賀県内の農産物（麻、木綿、絹など）や森林資源だけで賄うのは現実的ではない。実際に、平安時代から江戸時代にかけ森林資源を多用した結果、東海道などの街道沿いや近畿圏は、はげ山だらけであった[9]。しかも、現在の人口は当時の数倍である。また、輸送機器（自動車、鉄道など）のように滋賀県が「鎖国」して自給自足で生産するのは原料面で困難なものや、特殊な難病への高度医療のように、滋賀県の中だけで賄うのはコスト的に見合わないものも存在する。

このようなことを考えると、滋賀県が「鎖国」するのは現実的ではなく、県外から、発電用の機器、建築資材や輸送機器などを購入し、また県外の医療に頼る必要がある。現在の生活水準を保とうとすれば、洗濯機、炊飯器、

*3（再掲） 経済産業省・資源エネルギー庁「都道府県別エネルギー消費統計」

*7 日本国勢図会 2023/24 年版, p.125, 矢野恒太記念会 (2023)

*8 日本国勢図会 2023/24 年版, p.104, 矢野恒太記念会 (2023)

*9 竹村公太郎, 日本史の謎は「地形」で解ける文明・文化編(PHP 文庫), PHP 研究所 (2014)

電子レンジ（これらは家事に要する時間を半減させた）、時計、テレビ、携帯端末、健康を保てる程度の冷暖房設備も必要であろう。しかし、これらを買おうとすると、当然だが代金を払う必要がある。そのため、県外に売れるものを作り、必要物資の購入費用を稼ぐ必要がある（これは、家計でも他国との輸出入でも同じことで、赤字が続くと破綻する）。

　このように、滋賀県という地域が持続可能となるためには、県外に売れる「もの」を作ることが必要である。売る「もの」は、工業製品、農産物、映画や情報ソフトウェアなど、何でもかまわない。ただし、「売れる」には他の都道府県や海外との競争に生き残る必要がある。そこで、滋賀県の地の利（自然の特性でも社会の特性でもよい）を生かした製品を作って売る必要が生じる[10]。

　では、何を作ればよいのか。それを、工業製品について考え、地の利との関連を調べよう（実際にも滋賀県は、令和2年度の県内総生産に占める第二次産業の割合が49.6%で、47の都道府県中で1位である[11]）。

6-3. 地図と歴史で見る滋賀県の交通

　古代から室町時代まで、太平洋側は気候が温暖で農業に適しているものの、海の向こうには何もない地域であった。それに対し日本海側は、気候は冷涼で農業を行うのは大変だが、東シナ海に面している九州地方とともに、日本が海外の文化を受け入れるユーラシア大陸からの玄関口となっていた。太平洋側が文化の玄関口となったのは、ペリーの黒船来航からである。

　この中で滋賀県は、東西方向には日本の中心と言える位置にあり、また日本海側と太平洋側を結ぶ最短ルートであった[12]。つまり、東西軸と南北軸の結節点という交通の要衝に、滋賀県は位置していた。日本海、太平洋（伊勢湾）、瀬戸内海のどれからも比較的短距離の位置にあり、これらと結ぶ道も険しい山道の部分は短いため、日本

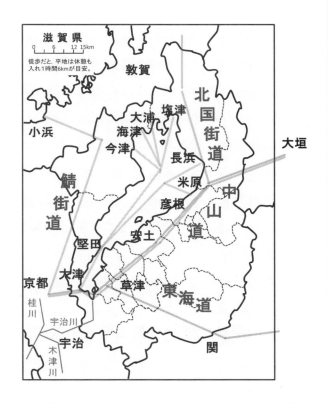

図6-1 滋賀県及びその周辺を結ぶ旧街道と水上交通路

*10　経済学の理論により、各地域が比較優位財の生産に特化することで、交易によりすべての地域の生産性が上がることが知られている。
（Ethier, W. J., Modern International Economics, Second Edition, Norton, 1988）

*11　滋賀県, 滋賀県なんでも一番, https://www.pref.shiga.lg.jp/kensei/tokei/nandemo/22107.html (2023)

*12　竹村公太郎, 日本史の謎は「地形」で解ける (PHP文庫), PHP研究所 (2013)

の中心とはその意味でもある。ただし、中心に位置し、広い平野（近江盆地）もあるということは、東西南北のどちらからも攻められ易いということにもなる。そのため滋賀県に都が置かれたのはごく短期間で、その後は滋賀の隣で西・北・東の三方を山に、南を巨椋池（宇治市から久御山町にかけてあった湖）に囲まれているために防御しやすい京都が、都になった。

明治になって鉄道が走るようになる前は、船による輸送が物資輸送の中心であった。船は人、牛、馬による陸上輸送に比べ、はるかに多くの物資を低コストで運べる。そこで、東北から北陸にかけての地域でとれた物産は主に、若狭湾から陸揚げされて琵琶湖北岸の港まで運ばれ、水運で大津まで運ばれてから再び陸揚げされ京都へ運ばれた。また旅行や陸上輸送のための幹線道路も、東海道、中山道、北国街道という三つの道路が、昔から滋賀県を通っていた。なお、福井県の小浜から滋賀県北西部を通って京都に抜ける鯖街道と呼ばれる道があるが、その名から判るように、この街道は主に日本海の水産物の輸送に使われ、最も重要な食糧である米の輸送には使われなかった。米は先に述べた琵琶湖の湖上輸送で運ばれていた。これは、水産物（生鮮食料品で輸送を早くする必要があるが、高コストの陸上輸送を使っても高く売れる）は鯖街道で運び、米（腐ったりしないが、重さの割に魚介類ほど高く売れない）は、低コストの湖上輸送を使ったためである。ただしこの米の輸送ルートでも、若狭湾と琵琶湖の間と、大津と京都の間では、陸上輸送にはコストがかかる。そこで江戸時代に大型船の建造技術が広まると、東北から北陸、山陰を経て瀬戸内海に入る北前船の航路が開拓され、琵琶湖の湖上輸送の役割は小さくなった。

しかし明治時代以降にも、交通の要衝としての滋賀県の役割は終わらなかった。東海道新幹線は中山道のそばを通り、東海道本線も中山道、北陸本線は北国街道、草津線は東海道の近くにある。高速道路も、名神高速道路は中山道、新名神高速道路も東海道の近く、北陸自動車道も北国街道とほぼ重なっている。これらによる荷物輸送のうち鉄道は、同じ重さの荷物を同じ距離運ぶのにかかるコストは、船による輸送に次いで安いが、線路の無い所には運べないため、駅で積み替える必要がある。これに対して自動車による輸送は、単位重量、単位距離当たりの輸送コストはかかるものの、積み替えの必要が無い。

6-4. 地理的条件から見た滋賀県の産業の歴史

大規模な土木工事が可能になるより前の室町時代まで、水田耕作に適した土地の条件は、温暖で台風や積雪も少ないという気候の良さと、緩やかな傾斜のため水を引きやすく水田を作りやすい（傾斜がきついと小さな棚田を沢

山作る必要があり、傾斜が無いと水はけが悪い）ことであった*13。滋賀県には近江盆地という大きな平野が存在し、そこは、これらの条件を満たしている。そのため豊臣秀吉による太閤検地では、面積の広い陸奥国（福島、宮城、岩手、青森の4県の領域）に次ぐ78万石（全国第二位）の石高で、今の都道府県の区分で考えると1位であった*14。

　滋賀県では江戸時代になると更に、ちりめん（絹織物の一種）、麻製品、お茶などの生産が活発になる*15。これには気候や地理的条件、他地域からの技術導入、近江商人という商業従事者の存在とともに、彦根藩という大きな藩（自治体）の産業振興策が大きな役割を果たした。その結果、今の長浜市を中心とする地域は全国でも有数のちりめん産地となった。藩の統制下で作られたので生産量は限られていたが、粗悪品を売ってはいけないという品質保証がしっかりしていた。しかし売るのは白い布地だけで、それに模様を染め上げて高付加価値の商品としたのは、京都や金沢などであった。写真雑誌もテレビも無かった時代なので、どのような絵柄が好まれるかという情報が簡単に入手できる大消費地で、しかもデザイン性に優れた様々な工芸品が流通していた文化性の高い地域が、多品種少量生産の染色業に適していたのである。江戸時代の滋賀県の特産物には他に、竹を使った扇子の骨もあった。しかしこれも、扇子の絵を描くのは京都で行われている。このように、江戸時代の滋賀県の工業製品は、完成品でなく素材や部品が中心であった。(1990年代になって、これらの地場産業にもっと付加価値をつけようという動きが出てきている*16。)

　明治時代になってから当分の間は、滋賀県は農業県にとどまり、工業は発達しなかった。経済の中心が大阪から東京へと次第に移っていったことや、海に面していない内陸県であること、石炭などの鉱物資源も無いことが、工業立地を妨げたのであろう。しかし、大正時代後期の1920年代から、滋賀県には数多くの化学繊維工場が立地するようになった*15。これは、工場の操業に必要な多量の水を琵琶湖から一年を通じて安定して取水できることが、大きな要因だったようである。もともと繊維産業が盛んだったという素地も役だった可能性がある。この頃から1960年頃までは日本から輸出する工業製品の主力は繊維製品であり、その中で滋賀県は大きな役割を担っていた。

　しかし、労働集約型の繊維産業は、我が国の賃金水準の上昇と共に次第に競争力を失い、滋賀県でも工場が次第に消えていった。これに代わって多くなったのが、電子部品や自動車部品の工場である。交通の便の良さ、豊富な水と土地、機織り機などの機械を作っていた産業的素地などが、滋賀県に多くの工場が集まってきた原因と考えられる。

*13　足利健亮, 地図から読む歴史（講談社学術文庫）, 講談社(2012)

*14　オフィスJ.B.編集, あなたの知らない日本史, 辰巳出版社(2014)
*15　原田敏丸, 渡辺守順, 滋賀県の歴史（県史シリーズ 25）, 山川出版(1972)

*16　京都新聞滋賀本社編, 滋賀の産業ルネッサンス, サンライズ出版(1997)

*15（再掲）原田敏丸, 渡辺守順,滋賀県の歴史（県史シリーズ 25）, 山川出版(1972)

6-5. 現在の滋賀県の製造業

　現在の滋賀県は工業県で、2022 年度の県内総生産に占める第二次産業の割合は 49.6% と全国で 1 位である（全国平均は 26.6 ％）[11]。また、2020 年度の工業製品出荷額を産業別にまとめると次ページの表になる[17]。歴史のある繊維産業が 5 位である。プラスチック製品は 7 位で、それには電気・電子機器の躯体や自動車の内装品などがある。はん用機械器具も 5 位で、これにはボイラー、ポンプ、歯車など様々なものを含み、その多くは大きな機器の中に部品として組み込まれている。電子部品・デバイス・電子回路も 6 位になっている。電気機械器具も 6 位で、これは主に家電製品である。また、化学工業や輸送用機械も、全国順位は高くないが、滋賀県の工業の中では高い比率を占めている。

　このように滋賀県の産業は、地域の自然環境の特徴や歴史的経緯をもとに発展してきた。今でも素材・部品産業の比率が高いことが特徴で、また、海上輸送に頼るような重量物の生産には地の利が無いようである。皆さんは滋賀県の地理的特徴を生かした産業として、これから何が有望と考えるだろうか。

*11（再掲）滋賀県, 滋賀県なんでも一番, https://www.pref.shiga.lg.jp/kensei/tokei/nandemo/22107.html (2023)
*17　日本国勢図会 2023/24 年版，pp.524-526, 矢野恒太記念会 (2023) をもとに服部（工学部電子システム工学科）が表を更新

表 6-2　滋賀県の産業別工業製品出荷額（2020 年度）

産業	工業製品出荷額（億円）		全国シェア (%)	滋賀県内での比率 (%)
	滋賀県	全国計		
食料品	3,398	297,276	1.1	4.5
飲料・たばこ・飼料	1,112	93,184	1.2	1.5
繊維工業	1,993	35,353	5.6	2.6
木材・木製品	332	27,854	1.2	0.4
家具・装備品	660	20,437	3.2	0.9
パルプ・紙・紙加工品	1,231	71,245	1.7	1.6
印刷・同関連業	799	46,630	1.7	1.0
化学工業	11,329	287,305	3.9	14.9
石油・石炭製品	134	111,772	0.1	0.2
プラスチック製品	6,491	126,557	5.1	8.5
ゴム製品	961	30,008	3.2	1.3
なめし革・同製品・毛皮	6	2,723	0.2	0.0
窯業・土石製品	3,301	76,418	4.3	4.3
鉄鋼業	909	151,183	0.6	1.2
非鉄金属	1,315	94,527	1.4	1.7
金属製品	3,674	152,036	2.4	4.8
はん用機械器具	6,968	114,759	6.1	9.2
生産用機械器具	6,020	197,080	3.1	7.9
業務用機械器具	1,734	64,226	2.7	2.3
電子部品・デバイス・電子回路	4,657	146,154	3.2	6.1
電気機械器具	8,527	178,745	4.8	11.2
情報通信機械器具	443	64,210	0.7	0.6
輸送用機械器具	9,826	602,308	1.6	12.9
その他の製造業	331	43,557	0.8	0.4

7　ひとと技術の共生②

-暮らしの省エネ-

予習 | テキストをよく読み、授業までに以下の内容についてノートにまとめること。

① 1970 年代以降、世帯当たりの「給湯」「動力・照明」用途のエネルギー消費が増えた原因は何か。家電製品やライフスタイルの変化の観点から 3 つ推測しなさい。
② 上記のキーワードを挙げなさい（3 つ以上）。

※予習にかかる時間はおおよそ 1.5 時間を想定している。

7-1. エネルギーを輸入に頼る日本

日本で使われているエネルギー資源を大まかに分類すると、石炭・石油・LNG（天然ガス）などの「化石燃料」、水力・風力・太陽光・風力などの「再生可能エネルギー」となる。これらのエネルギー資源は「一次エネルギー」と呼ばれ、そのまま使うのではなく、電力やガソリン等に形を変えた上で使われる。図7-1に、「エネルギー白書」による一次エネルギーの国内供給構成を示す。水力を再生可能エネルギーと同様にみなしたとしても、化石燃料を中心とするエネルギーによって支えられる部分が圧倒的に大きいことが一目で判る。

　一次エネルギーの内訳は、1970年台におけるオイルショックや2011年の東日本大震災などを契機に年ごとに変化している。IEA（International Energy Agency：国際エネルギー機関）によれば、原子力も国産エネルギーとみなすことになっているので、2011年の大震災前には自給率は20%以上であった。震災にともなう原子力発電の停止によって、自給率は一時的に6.6%まで下落した。その後、太陽光発電・風力発電等の再生可能エネルギーの普及などによって回復したものの、2021年度における日本のエネルギー自給率はまだ約13.3%[1]にとどまっている。つまり日本はエネルギーの9割近くを海外からの輸入に頼っていることになる。

*1 経済産業省 ・資源エネルギー庁「エネルギー白書 2023」【第 211-4-1】https://www.enecho.meti.go.jp/about/whitepaper/2023/pdf/

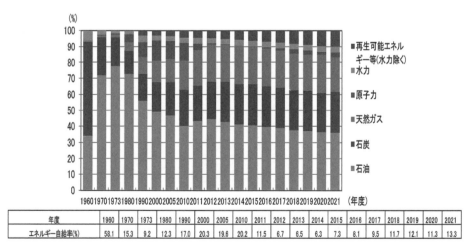

年度	1960	1970	1973	1980	1990	2000	2005	2010	2011	2012	2013	2014	2015	2016	2017	2018	2019	2020	2021
エネルギー自給率(%)	58.1	15.3	9.2	12.3	17.0	20.3	19.6	20.2	11.5	6.7	6.5	6.3	7.3	8.1	9.5	11.7	12.1	11.3	13.3

図 7-1　一次エネルギーの国内供給構成及び自給率の推移[1]

　自給率がこのような状況では、エネルギー輸入元の国々や、海上輸送経路上の国々に不測の事態が起こると、日本はすぐに "ガス欠" になってしまい、暮らしの全てが立ちゆかなくなる恐れがある。安定したエネルギー資源の確保のためにも自給率を上げることが望ましい。しかしながら、国土が狭くま

たエネルギー資源も乏しい日本国においては、自給率の問題を早急に解決することは困難である。自給率上昇の努力と並行して、エネルギー消費そのものを減らして、エネルギー輸入を減らす（省エネルギー）ことも、日本の安全と経済にとって重要な課題である。

7-2．省エネルギーの実現

　省エネルギーは、単純にエネルギー消費を削減するという意味ではない。必要不可欠な部分を削除することはできないので、それを確保しつつ、どの部分が削減できるかを調べて対応する必要がある。そのためには、エネルギーがどのように供給され、消費されるかという「エネルギーバランス・フロー[2]」を知っておくと便利である。先の節で記したように、一次エネルギーはそのまま使われるわけではなく、途中で電力・ガソリン・各種ガス等の様々な別の形に変換される。現場で実際に使用されるエネルギーの消費を「最終エネルギー消費」と言うが、一次エネルギーから最終エネルギーに変換されるまでの工程は単純ではない。すべてのフロー[2]は複雑であるが、その中から一次エネルギーと最終エネルギーだけを抜き出して簡単にまとめると、図 7-2[3] のように

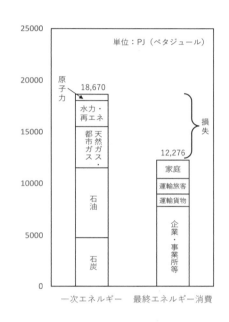

図 7-2 エネルギーバランス・フローから、一次エネルギーと最終エネルギー消費のみを抽出[3]

なる。単位は PJ（ペタジュール：ペタ＝10^{15}）である。ここで注目したいのは、一次エネルギーから最終エネルギーに至るまでに、3 割以上の損失があるということである。エネルギーを使用・変換する時には、必ずエネルギー損失が生まれる。また同じ形態のエネルギーであっても、分割・合体等の操作を行うと、損失が発生する場合が多い。これは自然界における重要な法則の一つであって、最終エネルギーを使用する段階においても同様に成立しており、省エネルギー対策を立てる際にも考慮すべきものである。

7-3．　最終エネルギー消費の推移

　省エネルギーを実現するために、最終エネルギーが「どこで」「どれだけ」使われているのか、簡単に見ておきたい。図 7-3 に、2021 年における最終エネルギーの構成[4]比を示す。

[2]　経済産業省・資源エネルギー庁「エネルギー白書 2023」【第 211-1-3】https://www.enecho.meti.go.jp/about/whitepaper/2023/pdf/

[3]　経済産業省・資源エネルギー庁「エネルギー白書 2023」【第 211-1-3】をもとに、服部（工学部電子システム工学科）がグラフを更新

[4]　経済産業省・資源エネルギー庁「エネルギー白書 2023」【第 212-2-1】https://www.enecho.meti.go.jp/about/whitepaper/2023/pdf/

図 7-3　部門別電力最終消費の推移[*4]

　最終エネルギー消費全体に占める家庭部門の比率は 14.6% であるが、これは自家用自動車などの運輸関係を除く家庭でのエネルギー消費である。私たちが暮らしの中で実施できる省エネは、おおむねこの 14.6% の中が対象であると考えてよいであろう。

　つぎに、家庭部門の最終エネルギー源がどのような構成であるか、またそれが時代とともにどう変遷してきたかについて見てみたい。次の図 7-4 は、家庭部門におけるエネルギー源別消費の推移[*5] を示す。

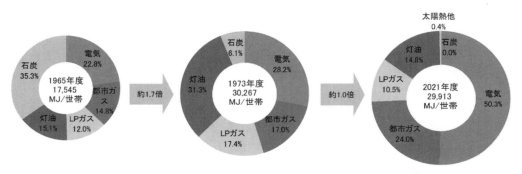

図 7-4　家庭部門におけるエネルギー源別消費の推移[*5]

　1965 年には約 1/3 ほどあった石炭は、2021 年ではほぼ無くなっている。灯油が占める割合は一度高くなったあと、再び低くなっている。電力の占める割合は顕著に増加し、2021 年では、家庭部門の半分以上を占めるようになった。ということは、家庭における電力消費を削減できれば、省エネルギーの実現に対する効果は大きいと期待できる。

　そこで、電力の使用量について変遷を見てみよう。次に示す図 7-5 は、1965 年以降の日本のエネルギー消費量のうち、部門別電力最終消費の推移[*6] を示している。全体の量については、2010 年頃までは延び続けているが、それ以降は横ばいあるいはやや減少の傾向が続いている。ここで「産業」「業務他」と記されているものは、個人ではなく企業等で用いられる電力である。前者は工場等で動力などに使うもので、後者はオフィス・サービス部門・営業部

*5　経済産業省・資源エネルギー庁「エネルギー白書 2023」【第 212-2-7】
https://www.enecho.meti.go.jp/about/whitepaper/2023/pdf/

*6　経済産業省・資源エネルギー庁「エネルギー白書 2023」【第 214-1-1】
https://www.enecho.meti.go.jp/about/whitepaper/2023/pdf/

門などで使われるもの（すなわち企業の中でも居住空間に近い部分で使われている）と考えてよい。「家庭」用途で使われるものは 2010 年頃まで増え続け，その後は横ばいである。「産業」用途は 1990〜2005 年頃のピークに達するまで伸び続け、そののち徐々に減少に転じている。「業務他」用途は一貫して増加傾向である。

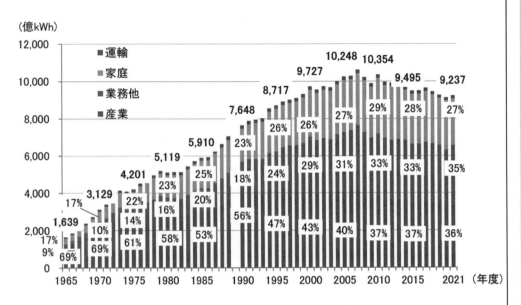

図 7-5　部門別電力最終消費の推移[*6]

　では、家庭における暮らしの中で、どのような用途のエネルギー消費が増えたのだろうか。図 7-6 は、家庭一世帯あたりのエネルギー消費と用途別内訳の推移を示している。この図から、過去 40 年の間に一般家庭において消費がとくに増えた用途は、「動力・照明」と「給湯」であることが分かる。「冷房」の伸び率は約 4 倍と大きいが、全体に占める割合は最近でも 2%と小さい。また、「厨房」「暖房」用途は 1970 年代以降ほぼ一定であることが分かる。

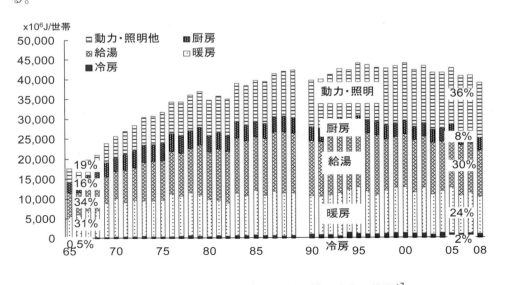

図 7-6　世帯あたりの用途別エネルギー消費の推移[*7]

*7　経済産業省・資源エネルギー庁「エネルギー白書 2010」【第 212-2-3】をもとに、川﨑（工学部機械システム工学科）が作成、「地域共生論(2017)」に記載

7-4. 家庭用の省エネルギー機器

　家庭のエネルギー消費は1970年代以降伸びてきたが、その一方で、様々な省エネ技術も開発されてきた。

7-4-1. 給湯機器

　家庭のエネルギー消費の約30%は給湯が占めているので、給湯に必要なエネルギーを節約できれば、家庭のエネルギー消費を効果的に減らすことができる。そこで、近年登場した省エネタイプの給湯器をいくつか紹介する。

（Ⅰ）ガスコジェネレーション

　ガスコジェネレーション（図7-7）は、ガスエンジン発電機で電気をつくるのと同時に、エンジンから出る排熱を用いて給湯や床暖房を行う装置である。この装置は、電気と熱を別々に購入するよりも無駄を少なくすることができる。最近では、エンジンよりも発電効率の高い燃料電池を使うシステムも登場している。

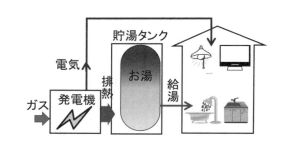

図7-7　ガスコジェネレーション

（Ⅱ）ヒートポンプ式給湯器

　ヒートポンプ式給湯器（図7-8）とは、外気（空気）から"くみ上げた"熱を使ってお湯をつくる装置のことで、コジェネレーションと同様、効率よくエネルギーを得ることができる。ただし、外気の温度に

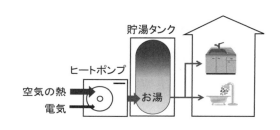

図7-8　ヒートポンプ式給湯器

よっては効率が必ずしも良くならない場合もある点には注意しなければならない。

（Ⅲ）潜熱回収式ガス給湯器

　近年登場した潜熱回収式ガス給湯器（図7-9）では、これまでは使われていなかった温度の低い熱を有効利用することによって、効率が従来型の約80%から約95%まで向上している。先に述べたガスコジェネレーションもヒートポンプ式給湯器も、省エネ型給湯器であるが、まとまった量のお

図7-9　潜熱回収式ガス給湯器

湯を貯湯タンクにためて使うことになる。したがって、家族構成や生活パターンによっては、必要な時に必要な分だけお湯をつくるガス給湯器の方が、省エネで経済的な場合もあるだろう。

最後に、ガスを一次エネルギーとして、先に述べた種々の方法で給湯を行った場合に、どれだけの熱が得られるのかを図 7-10 にまとめて示す。数値は大雑把な「目安」であって厳密な値ではないので注意されたい。

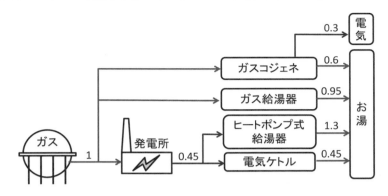

図 7-10　ガスを一次エネルギーとして得られる給湯熱

7-4-2. 照明機器

家庭用の省エネ照明機器として、LED（発光ダイオード、Light Emitting Diode）照明が普及してきた。表 7-1 は、白熱電球[8] と同等の形状と明るさをもつ蛍光灯および LED の性能と価格を比較したものである。蛍光灯、LED はいずれも白熱電球より消費電力が小さく長寿命である。そのため、製品の製造・廃棄過程も含めたライフサイクル CO_2 排出量で見ても、両者は白熱電球よりも優れている。また、表 7-1 に示した電球を用いて、40000 時間照明をした場合の、電球代と電気代を合わせた総コストは図 7-11 に示すようになり、LED照明のコストが最も低いことがわかる。

表 7-1　各種電球の性能と価格

	消費電力 [W]	寿命 [時間]	価格[4] [円]
白熱電球[2]	54	1,000	200
電球形[3] 蛍光ランプ	10	13,000	730
電球形[3] LEDランプ	10	40,000	1,540

*1明るさは全て810lm, *2 東洋ライテック製60W形, *3パナソニック製60W形, *4 Amazon販売価格(2015年4月)

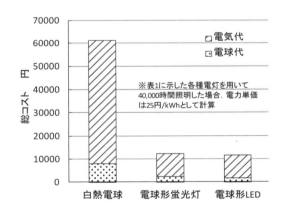

※表1に示した各種電灯を用いて40,000時間照明した場合. 電力単価は25円/kWhとして計算

図 7-11　各種照明コストの比較[9]

7-4-3. エネルギーの見える化

家計の無駄を減らすためには、まずは家計簿をつけて、どこに大きな無駄があるのかを把握しなければならない。省エネを進める場合にも、どの装置のエネルギー消費が多いのか、無駄はどこにあるのかを知る「エネルギーの見える

*8　2008 年に経済産業省は一般白熱電球の製造・販売の自粛を呼びかけた。2014 年で、大手電気メーカーは電球の製造・販売を終了した。

*9　田畑智博・文多美、「住宅での使用実態を考慮した家庭用光源商品の切り替え対策の環境的・経済的評価」、環境科学会誌25(5), pp.367-377, (2012)をもとに川﨑が作成し、地域共生論（2017）に記載

化」が有効である[*10]。工場など事業所では、すでに電力監視装置の導入が進められており、様々な装置の使用方法を適正化することで、省エネとコスト削減が達成されている。家庭においても、電力会社やガス会社の WEB サービスを利用すれば、月々のエネルギー使用量の推移を把握することができる。また、図 7-12 に示すようなコンセント毎の電気使用量をモニターできる装置を使えば、さらに詳しい状況を把握することができる。

図 7-12　電力量モニター

【1人で考えよう（事前学習）】

① 1970 年代以降、一世帯当たりの「給湯」、「動力・照明」用途のエネルギー消費が増えた原因は何か。利用が拡大した家電製品、サービス、およびライフスタイル変化の観点から推測しなさい。

② キーワードを挙げる（3つ以上）

7-5.　まとめ　～省エネシェアハウス[*11]をデザインする～

【1人で考えよう（授業当日）】

③ 今の自分の暮らしの中で、家電製品やライフスタイルの見直しによって、エネルギーの無駄を削減できそうなところはどこだろうか。授業を聞いた上で考えなさい。

【グループで考えよう】

　グループのメンバーで、シェアハウスに住むことになった。風呂付き一戸建ての家を借りて、夕食は当番制で自炊するところまで合意出来ている。

① 「シェアハウス」（ただし、共用部）を、「省エネ」で「快適」なものにするために重要なポイントはなにか(例：暖房の仕方と利用ルール)。優先順位をつけるとともに、その理由を簡潔にまとめなさい。

② 優先順位1位の課題に対して、グループはどのような選択をするか。家電製品の構成や、居住ルールについてまとめなさい。

8 ひとと技術の共生③

－地域社会におけるものづくり－

予習 | テキストをよく読み、授業までにワークシートの事前学習を完成させること。

滋賀県内で滋賀の特性を活かして、省エネルギー型の「ものづくり（第二次産業とする）」を行うとすれば、何を作るのが適切かを考えなさい。ただし、発電事業、電気・ガス業、鉱業は除く。

※予習にかかる時間はおおよそ 1.5 時間を想定している。

8-1.　機能集約型の社会から分散型の地域社会へ

　社会の経済・生産・管理・福利厚生などの効率を高めるためには、政治・生産・流通・医療看護介護などの社会機能を、役割や業種ごとに狭い地域に集約することは合理的かつ有効である場合が多い。例えば、工業製品の生産においては、大規模な生産設備を用いるとき生産の効率が向上し、その産業の成長が期待できる。スマートフォンに代表される電子機器などに大量に使用される半導体の製造は、大量生産のメリットが大きい典型的な例である。英国 informa 社の技術・メディア分析部門 Omdia による調査では、2022 年全世界の半導体メーカー売り上げトップ 10 は、米国 7 社、韓国 2 社、台湾 1 社となっている[1]。かつて、日本の半導体は、世界の約 50% のシェアを押さえていたが、韓国や台湾、中国などが国の支援も受けて大量生産化を強力に推し進めたため、日本は価格競争についていけなかった。ただし、半導体の製造装置の売り上げでは、2022 年の世界トップ 10 のなかに日本の 4 社が含まれており（米国 VLSIresearch 調査）、健闘している[2]。

　一方で、医療看護介護などが、特定の地域に集約されてしまうと、人々の健康的な生活が脅かされてしまうことは明らかである。また、ある特定の社会機能が集約された地域が災害や事故などによる被害を受けると、広範囲におよぶ社会機能の低下や、社会活動の沈滞・停止に到ることが容易に想像できる。例えば、2011 年にタイで発生した洪水被害により、その地域に集約されていた一部の自動車部品の製造・供給が止まり、日本の自動車メーカーの自動車製造が約 1 ヶ月停止した。これは、社会の効率を高めるための集約のメリットに対して、必ず存在するリスクと言える。この教訓から、現在は、自動車部品供給拠点の分散化が計られている。

　このような集約化のデメリットが顕在化するとともに、高効率化の抱えるリスクを回避するための新しい社会のありかたとして、「自立性を高めた分散型の地域社会」が注目されてきた。これは、国という枠から各都道府県に、各都道府県から各市町村に、各市町村からそれぞれの自治会・集落のレベルに、より小さな社会単位における自立性を増して、大規模災害などの社会危機のリスクを分散しようとする考え方である。

8-2.　自立性を高めた分散型の地域社会

　「自立性を高めた分散型の地域社会」は、その自立性を高めるほど、機能集約型の社会で期待される高効率化のメリットが小さくなると考えられる。しか

*1　"Omdia: 2022, a Record Year for Semiconductors that feels Anything But", Omdia (2023/3/2)
https://omdia.tech.informa.com/pr/2023/mar/omdia-2022-a-record-year-for-semiconductors-that-feels-anything-but
*2　TECH+（テックプラス）、2022 年の半導体製造装置メーカー売上高ランキングトップ 10、日本勢は 4 社ランクイン TechInsights 調べ（2023/6/7）
https://news.mynavi.jp/techplus/article/20230607-2698830/

しながら、近年の、

- 情報ネットワークの普及
- 再生可能エネルギーの低コスト化
- 流通システムの発展と高効率化

などの社会インフラや技術の発展は、小規模な地域社会の自立を促し、加速するために、大きな役割を果たすことが期待できる。すなわち、分散型地域社会を形成するために有用な環境が整備されつつある。

　このような背景に基づいて、「自立性を高めた分散型の地域社会」を実現するためには、医療看護介護はもとより、食料や工業製品の生産、エネルギーの自給、種々の物流の仕組みなどを、可能な限り地域社会の中でまかなうことが必要である。特に、「6. ひとと技術の共生①」と関連する、立地・交通などの地理的な特徴を活かしたものづくりのありかたは、「自立性を高めた分散型の地域社会」を実現するための食料や工業製品の生産に関わる内容として、ぜひとも検討すべき課題といえる。

　また、何をつくるかということも重要であるが、「7. ひとと技術の共生②」で述べられた省エネルギーの視点を意識して、社会活動全般に必須となるエネルギーを効率的に用いる方法を検討することは、地球温暖化防止の観点からも極めて重要である。

8-3. 地域社会を支える産業について考える

　上記のような背景を踏まえて、地域社会を支えるための産業について考えてみよう。皆さんには自らが起業するつもりでアイディアを考えてみて欲しい。

【1人で考えよう（事前学習）】

　「6. ひとと技術の共生①」、「7. ひとと技術の共生②」で行った

- 「滋賀の未来のものづくり」に関連する滋賀の産業史や議論内容
- 「省エネルギー」を実現するための考え方やアプローチに関する議論

を踏まえて、

滋賀県内で滋賀の特性を活かして、省エネルギー型の「ものづくり（第二次産業とする）」を行うとすれば、何を作るのが適切かを考えなさい。ただし、発電事業、電気・ガス業、鉱業は除く。

について1人で考察して、ワークシート（1／2）を完成させて、ものづくりを2つ提案（つくるものと、適切と考える理由）する。提案にあたっては以下の資料を参照すること。

　授業当日は事前学習を踏まえて、グループワークを実施する。

【参考資料①】第二次産業を理解するための資料

○ 第二次産業とは

　　第二次産業は、第一次産業（農業・林業・漁業）が採取・生産した原材料を加工して富を作り出す産業が分類される。コーリン・グラント・クラーク（1905〜1989、イギリス・ロンドン出身の経済学者）によれば、製造業、建設業、電気・ガス業が第二次産業に該当する。日本では鉱業も第二次産業に含まれ、電気・ガス業が第三次産業に分類される。

○ 製造業の事業所とは

　　総務省による日本標準産業分類の「大分類Ｅ－製造業」の総説においては、「製造業の大分類には、有機又は無機の物質（要は、いろいろな材料）に物理的、化学的変化を加えて新たな製品を製造し、これを卸売する事業所が分類される。」とある。さらに、製造業とは、主として次の業務を行う事業所をいう。

　（1）新たな製品の製造加工を行う事業所であること。

　（※「新たな」は、「これまでにない」という意味ではなく「原材料のままではない」という意味）

　（2）新たな製品を主として卸売する事業所であること。

　と規定されている。

○ 製造業にどのような業界があるのか？

　　第二次産業の主要な部門である製造業にはどのような「ものづくり」があるかの参考のため、「総務省による日本標準産業分類（平成25年10月改定。平成26年4月1日施行）の「大分類Ｅ－製造業」に含まれる中分類を下記に示す。ただし、第二次産業には製造業以外に建設業などが含まれる。

　　　　中分類　09　　食料品製造業　　（弁当などの総菜、缶詰などを調理・製造する業種など）
　　　　中分類　10　　飲料・たばこ・飼料製造業
　　　　　　　　　　　（ビールなどのアルコール飲料や、茶を製造する業種など）
　　　　中分類　11　　繊維工業
　　　　中分類　12　　木材・木製品製造業　　（家具を除く）
　　　　中分類　13　　家具・装備品製造業
　　　　　　　　　　　（木製家具だけでなく、事務所の机のような金属製家具を製造する種も含まれる）
　　　　中分類　14　　パルプ・紙・紙加工品製造業
　　　　　　　　　　　（紙加工品には、紙コップなどの他、例えば生理用品も含まれる）
　　　　中分類　15　　印刷・同関連業
　　　　中分類　16　　化学工業　　（医薬品、化粧品もここに含まれる）
　　　　中分類　17　　石油製品・石炭製品製造業
　　　　中分類　18　　プラスチック製品製造業
　　　　中分類　19　　ゴム製品製造業
　　　　中分類　20　　なめし革・同製品・毛皮製造業

中分類　21　　窯業・土石製品製造業（コンクリート製品（護岸ブロックなど）も含まれる）
中分類　22　　鉄鋼業
中分類　23　　非鉄金属製造業
中分類　24　　金属製品製造業　　（ねじやドラム缶、めっきなど）
中分類　25　　はん用機械器具製造業
中分類　26　　生産用機械器具製造業
中分類　27　　業務用機械器具製造業
中分類　28　　電子部品・デバイス・電子回路製造業　　（IC など）
中分類　29　　電気機械器具製造業
中分類　30　　情報通信機械器具製造業　　（電子デバイス、精密機械以外のハードウェア）
中分類　31　　輸送用機械器具製造業
中分類　32　　その他の製造業（ゲーム機や花札といった玩具や、楽器などはここに含まれる）

総務省のホームページ

（https://www.soumu.go.jp/toukei_toukatsu/index/seido/sangyo/02toukatsu01_03000044.html#e）
には、上記の各中分類の中の事業も記載されているので、参考になる。

例えば、「中分類　19　ゴム製品製造業」の中には、

191　　　タイヤ・チューブ製造業

192　　　ゴム製・プラスチック製履物・同附属品製造業

193　　　ゴムベルト・ゴムホース・工業用ゴム製品製造業

などが記載されている。

【参考資料②】

○　地域循環共生圏の概要（以下、図表含め環境省ホームページ https://www.env.go.jp/ より引用）

　2018 年 4 月に閣議決定した第五次環境基本計画では、国連「持続可能な開発目標」（SDGs）や「パリ協定」といった世界を巻き込む国際的な潮流や複雑化する環境・経済・社会の課題を踏まえ、複数の課題の統合的な解決という SDGs の考え方も活用した「地域循環共生圏」を提唱しました。「地域循環共生圏」とは、各地域が美しい自然景観等の地域資源を最大限活用しながら自立・分散型の社会を形成しつつ、地域の特性に応じて資源を補完し支え合うことにより、地域の活力が最大限に発揮されることを目指す考え方です。

　「地域循環共生圏」は、農山漁村も都市も活かす、我が国の地域の活力を最大限に発揮する構想であり、その創造により SDGs や Society5.0 の実現にもつながるものです。

　「地域循環共生圏」の創造による持続可能な地域づくりを通じて、環境で地方を元気にするとともに、持続可能な循環共生型の社会を構築していきます。

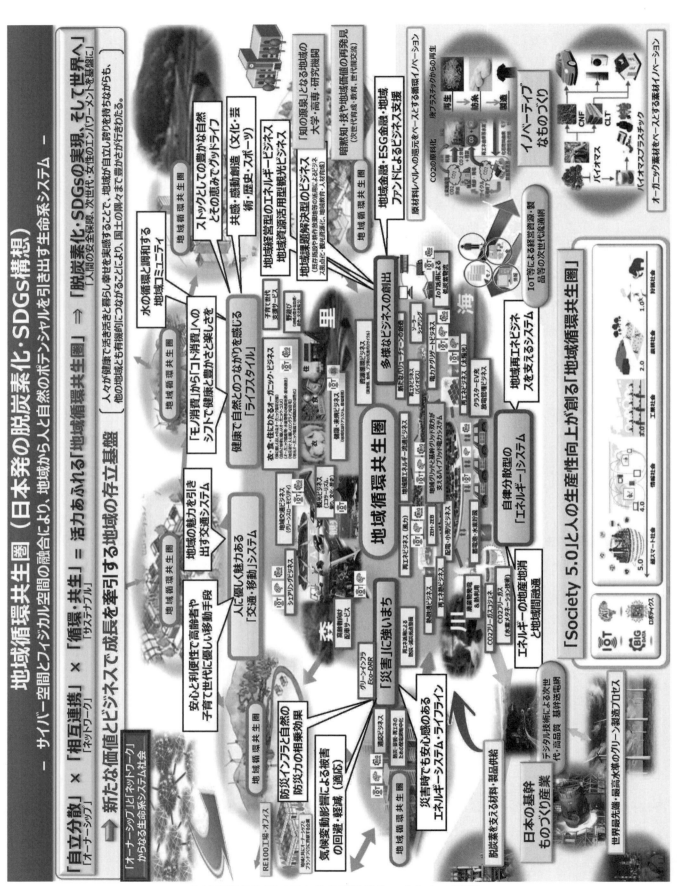

地域循環共生圏（日本発の脱炭素化・ＳＤＧｓ構想）

出典：https://www.env.go.jp/seisaku/list/kyoseiken/pdf/kyoseiken_02.pdf

【参考資料③】

○　Society 5.0

「自立性を高めた分散型の地域社会」の構築のために科学技術を活用する施策の一つとして紹介する。

・Society 5.0 とは（以下、図版含め内閣府ホームページ　https://www8.cao.go.jp/より引用）

「サイバー空間（仮想空間）とフィジカル空間（現実空間）を高度に融合させたシステムにより、経済発展と社会的課題の解決を両立する、人間中心の社会（Society）」

狩猟社会（Society 1.0）、農耕社会（Society 2.0）、工業社会（Society 3.0）、情報社会（Society 4.0）に続く、新たな社会を指すもので、第5期科学技術基本計画（平成28〜平成32年度）において我が国が目指すべき未来社会の姿として初めて提唱されました。

・Society 5.0 で実現する社会

これまでの情報社会（Society 4.0）では知識や情報が共有されず、分野横断的な連携が不十分であるという問題がありました。人が行う能力に限界があるため、あふれる情報から必要な情報を見つけて分析する作業が負担であったり、年齢や障害などによる労働や行動範囲に制約があったりしました。また、少子高齢化や地方の過疎化などの課題に対して様々な制約があり、十分に対応することが困難でした。

Society 5.0 で実現する社会は、IoT（Internet of Things）で全ての人とモノがつながり、様々な知識や情報が共有され、今までにない新たな価値を生み出すことで、これらの課題や困難を克服します。また、人工知能（AI）により、必要な情報が必要な時に提供されるようになり、ロボットや自動走行車などの技術で、少子高齢化、地方の過疎化、貧富の格差などの課題が克服されます。社会の変革（イノベーション）を通じて、これまでの閉塞感を打破し、希望の持てる社会、世代を超えて互いに尊重し合える社会、一人一人が快適で活躍できる社会となります。

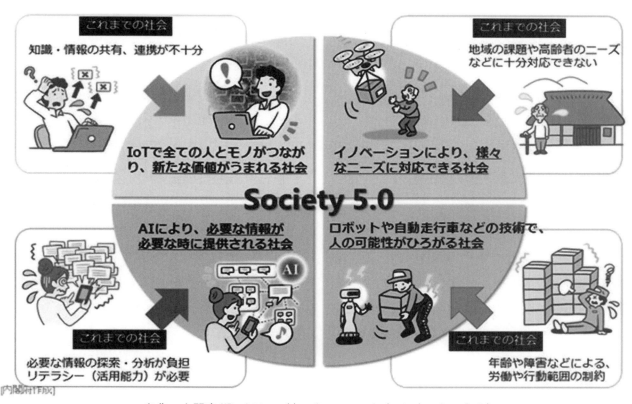

出典：内閣府HP　https://www8.cao.go.jp/cstp/society5_0/

8　ひとと技術の共生③　ワークシート　1／2

【1人で考えよう（事前学習）】

　滋賀県内で滋賀の特性を活かして<u>省エネルギー型のものづくり（第二次産業（農産物加工含む）とする。発電事業、電気・ガス業、鉱業は含まない）</u>を行うときに、適切と考えられる「ものづくり」（二種）と、その理由を考えなさい。

つくるもの	適切と考える理由
（1）	
（2）	
この欄はグループワーク用のメモ書きとして使用すること。	

班番号：_____（チーム名：_____）　　学籍番号：_____　　氏名：_____

【グループによる提案作成とプレゼンテーション】

　滋賀県内で滋賀の特性を活かして省エネルギー型の「ものづくり」（第二次産業とする）を行うとすればどのような「ものづくり」が望ましいか。グループで提案を作成しプレゼンテーションせよ。

　提案の評価はグループ間の相互評価で行う。各自他の班のプレゼンテーションを聴いて最も評価できるチームの用紙にシールを貼る。ただし、自らのチームにシールを貼ることはできない。

<提案の作成方法>

①スケッチブック <u>4枚使用</u>して提案を作成すること。

②用紙は横使い（切取面が上）とし、各用紙の<u>「左上」</u>に班番号とページ番号を記入すること。また、<u>1枚目の右上</u>には当日作成に携わった<u>メンバー全員が各自サイン</u>をすること。

③4枚の構成はプレゼンテーションを意識し、起承転結や4コマ漫画の構成を参考にすること。

　　例：1枚目　グループのテーマ（例えば「自然の特性を活かしたものづくり」など）

　　　　2枚目　活用する滋賀県の特性や滋賀らしさ

　　　　3枚目　省エネルギー型のものづくりの提案

　　　　4枚目　提案による効果（省エネルギーや地域活性化など）

<絵コンテ検討シート>

班番号－①　　　　　　　　　メンバーサイン	班番号－②

班番号－③	班番号－④

column : シェアハウス

■ シェアハウスとは

シェアハウスとは、1 軒の住まいで、キッチンやリビング、浴室などを共有しつつ、入居者個人の個室をプライベートな空間とした共同生活のスタイルです。一戸建てやマンションを、節約目的で、複数人で賃借する発想から生まれたといわれています。近年では、建物のリフォームに際してシェアハウスを目的としたものも増えています。共通の趣味を持った人が集まって住んだり、リビングやキッチン空間を充実させたりしたシェアハウスが人気となっています。

■ シェアハウスの借り方

滋賀県立大学の周辺にもシェアハウスはたくさんあります。シェアハウスを借りる形としては主に次の 3 つに分けることができます。色々な選択肢がありますが、滋賀県の場合は特に自治会等の地域運営がしっかりしていますので、**地域の方々との良好な関係を築くことが大切**です。

①不動産会社が仲介するシェアハウス：家主から不動産会社が委託されて仲介するもの。一緒に住む人を集めてくれる場合と自分たちで集める場合がある。

②個人的に借りるシェアハウス：親戚や知り合いから建物1棟をまるごと借りて仲間でシェアする。

③NPO や自治会等、地域団体が管理するシェアハウス：家主から NPO や自治会等の地域団体が借り受けた建物をシェアする。基本的に後から入る入居者が、入居者や環境をみて入るかどうかをきめる形。

■ 物件事例

豊郷町のシェアハウス
管理は NPO 法人とよさとまちづくり委員会。近江楽座の快蔵プロジェクトが古民家を改修し学生が住むスタイル。

石寺町のシェアハウス
管理は一般社団法人まちづくり石寺（自治会から生まれた、まちづくり会社）。コミュニティキッチンなど交流空間を整備。

■ ライフスタイル例

石寺町のシェアハウス：エコ民家 1 号館、4 号館、5 号館　住所：彦根市石寺町 1263 ほか

●コンセプト

エコ民家は、「エコ」＋「古民家」。1350 年続く伝統的な集落の古民家を活用した、エコライフの実践と、伝統的集落での豊かで貴重な生活体験ができます。

●居住のルール

コンセプトを実現するために 4 つのルールを定めています（右図）。入居者にはこれに同意いただきます。エコ民家なので、エアコンは共有スペースのみ設置。個人の部屋では扇風機、電気毛布、コタツ（湯たんぽの利用を推奨）を使用します。お風呂は、里山から伐採した薪と薪ボイラーを使って焚きます。

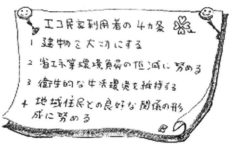

エコ民家利用者の 4 カ条
1 建物を大切にする
2 省エネ等環境負荷の低減に努める
3 衛生的な生活環境を維持する
4 地域住民との良好な関係の形成に努める

●生活コストの削減

家賃：1 万 5 千円/月＋水道光熱通信費（例：月 3,500 円＝電気 1,500 円＋水道 1,000 円＋ネット代 1,000 円）。ガスが通っていないのでガス代無料。料理はカセットコンロか IH。

居住者 A さんの感想（居住期間：1 年）

毎日変わる湖岸、畑の様子は、石寺に住んでから知ったことです。自然を感じ、人と接して暮らしたい方には 100％お勧めします。学生時代を、一軒家で友人と共同生活することも、おもしろい経験です。荒神山から切ってきた薪や、近所の皆さんのおかげで集まる薪の代わりの端材などを燃料にする薪ストーブストーブも体も温まります。そして、エコです。エコ民家に作った小さい畑から、手作り採れたての野菜が食べられることも生活の楽しみです。

参考 URL：一般社団法人まちづくり石寺　https://ishidera.com/

9　自然と地域との共生①

ー未来の持続可能な社会をいかに描くかー

予習　テキストをよく読み、授業までに以下の内容についてノートにまとめること。

① 持続可能な地域づくりとはどのようなことか。具体的例を挙げて説明しなさい。

② あなたが理想とする持続可能な社会とはどのような社会か説明しなさい。

※予習にかかる時間はおおよそ 1.5 時間を想定している。

9　自然と地域との共生① −未来の持続可能な社会をいかに描くか−

9-1.　「持続可能な社会」とは

　いまや世界中が「持続可能社会」なるものを模索している。持続可能社会の大前提は、持続可能な環境制約の範囲内で、経済と人間・社会のバランスが適切に保たれている社会であることである。すなわち、社会の持続可能性に重要な要素は「**経済**」と「**人間・社会**」に「**環境**」を加えた3つであり、持続可能な社会では、これらの3つの側面を適切にバランスさせることによって、真の豊かさを達成するのが目標である。

　20世紀は物質的拡大と経済的な成長を目指した時代であったが、物質的な豊かさと利便性を手に入れた一方で、過度な経済成長の優先は、地域経済の崩壊、格差の増大など経済的側面の問題を生んだ。また、有限な資源の枯渇や自然環境の悪化といった環境的側面と、家族・コミュニティの崩壊、伝統・文化の消滅、社会的不公平や疎外感の増大などの人間・社会的側面にも悪影響をもたらした。このような状況は、「物的・経済的な豊かさ」を過度に優先し、「環境」と「人間・社会」とのバランスが崩れることによって起きたことに他ならない。さらに、ここで注意すべきは、「経済」と「人間・社会」は現在世代の幸福の要素であるが、「環境」は現在世代だけではなく、将来世代にわたる人間の生存基盤の持続可能性を表す点である。

9-2.　「豊かさ」とは——「発展」概念の系譜

　「持続可能な発展」という用語が最初に用いられたのは、1980年に国際自然保護連合(IUCN)によって公表された世界保全戦略においてであるが、「持続可能な発展」に必要とされる条件を検討するために、第二次世界大戦以降の世界的な発展戦略の系譜について確認しておく[*1]。

*1 「持続可能な発展」の概念の系譜については、林(2006)を参照。

(1) 第二次世界大戦後から1960年代——経済成長優先の開発戦略

　第二次世界大戦後から1960年代まで主流であった開発戦略においては、近代工業部門を軸とした経済成長の恩恵が世界全体に浸透・波及していくとするトリクルダウン理論をよりどころにして、経済成長が優先された。発展途上国における開発においても、経済開発を中心に取り組まれてきた。経済成長による経済的生産の拡大を遂げれば、途上国の国民は所得増加によってより豊かな生活が保証されると考えられていた。

（2）1970 年代——社会的開発への転換

　1970 年代に入ると、いち早く工業化を遂げた先進国では環境問題が顕在化するとともに、経済成長によって富が増加しても途上国の国民全てが平等に豊かになっているわけではなく、「取り残された貧困」が次第に明らかになってきた。開発戦略はそれまでの経済成長優先から、より社会的側面を重視する方向へと大きくシフトする。

　1972 年にはストックホルムで国連人間環境会議が開催された。これは、「かけがえのない地球(Only One Earth)」をテーマとして開催された、環境問題についての最初の世界的な閣僚級政府間会合である。この会議で公表された人間環境宣言と世界環境行動計画は、同年に発表されたローマクラブの報告書「成長の限界」とともに以後の環境保全政策に影響を与え、同年の国連環境計画(UNEP)設立の契機にもなった。

　先進国は開発が環境汚染や自然破壊を引き起こすと強調するのに対して、発展途上国は低開発や貧困が人間環境の問題であると主張して鋭く対立した。この時から国際開発戦略の課題は、これらの人々をどのように支援したら自立した経済発展のための能力開化が可能か、という問題に転換してきた。このような背景から、「第 2 次国連開発の 10 年」(1971-1980 年)では、経済成長に加えて「社会の質と構造の改善」が目標として掲げられるようになる。そこでは、教育、保健医療・栄養、安全な水、住居など、人間に必要な基本的ニーズ(Basic Human Needs: BHN)の充足を重視する BHN アプローチが提唱された。

（3）1980 年代——「持続可能な発展」論の登場

　1980 年代に入ると、オゾンホールや地球温暖化問題が顕在化してきた。先述のように「持続可能な発展」という用語は、国連環境計画の委託により、1980 年に IUCN が世界自然基金(WWF)などの協力を得て作成した世界保全戦略の中で、人類生存のための自然資源の保全の必要性を示す概念として初めて登場した。副題は「サスティナブルな発展のための生物資源の保全」であり、国連人間環境会議(1972)の人間環境宣言や世界環境行動計画に示された原理を発展させ、地球環境保全と自然保護に向けた具体的な行動指針として展開されている。

　さらに、1984 年に国連に設置された「環境と開発に関する世界委員会(WCED: World Commission on Environment and Development、委員長の名前をとってブルントラント委員会とも呼ばれる)」が 1987 年に報告書 *Our Common Future*(邦訳『地球の未来を守るために』)を発行した。この報告書の中で、「持続可能な発展」は、「将来の世代が自らの欲求を充足する能力を損なうことなく、今日の世代の欲求を満たすこと」と定義され、世界的に広い支持

を受けた。発展の概念の経済的側面、社会的側面に加えて、環境的な側面が追加され、これ以降、「持続可能な発展」という用語は、多くの場面で用いられることとなる。

（4）1990年代以降――貧困への対策と社会的側面の深化

　1990年代に入ると世界銀行や国連開発計画(UNDP)が貧困削減に注目し始める。それまでの開発援助機関が依拠していた開発戦略が機能しなかったためである。戦後、期待されていたトリクルダウン理論が貧困の蔓延という現実によって否定されたこと、また、冷戦が終結したにもかかわらず、地域・国内紛争がなくならない現実を直視する必要があった。他方で、1980年代以降には東アジア諸国は労働集約型工業化によって経済が大幅に成長した。経済成長を支えたのは人的資源であり、人的資源の開発によって経済成長の配当にあずかることができるという認識が幅広く共有されることとなった。所得の向上による貧困削減が実感されたのである。これらを背景に、『人間開発報告書』がUNDPによって1990年に発刊され、開発援助の目的は人々が人間の尊厳にふさわしい生活ができるように手助けすることであると位置づけられるようになった。また、1992年にはリオデジャネイロで開催された国連環境開発会議をはじめ、1994年のカイロでの国際人口開発会議、1995年のコペンハーゲンでの社会開発サミット等を通じて、人間開発という概念は国際的にも定着した概念となっていく。

　このように、経済成長優先の開発戦略の見直しから、「持続可能な発展」論においては「取り残された貧困」にどのように取り組むかという観点から社会開発の必要性と重要性に対する認識が生まれた。さらに、その後、発展における社会的側面の概念は、単に貧困削減だけでなく、2000年の国連ミレニアム宣言にも見られるように、平和と安全、人権・自由とグッド・ガバナンス、開発における住民参加と民主化、開発における女性の役割・開発と性というような側面からも議論されるようになり、内容的に深化していく。また、2002年に南アフリカのヨハネスブルグで開催された持続可能な開発に関する世界首脳会議では、「持続可能な発展」を実現するためには、環境保全や経済発展と並んで貧困問題の解決が不可欠であるとして、貧困問題が1つの大きなテーマとして取り上げられた。

　以上で見たように、「持続可能な発展」概念の形成には、経済的条件を重視した開発論に、その見直しから社会的条件と環境的条件が加わったことがわかる。ただし、3章で見たように2015年に国連で「持続可能な開発目標（SDGs）」が策定されてはいるが、「持続可能な発展」の定義については多様な解釈が存在

し、学術的には何をもって「持続可能な発展」の達成と言うことができるのかについては、議論が未だ収束しておらず簡単ではない*2。確実に言えることは、社会やコミュニティの持続可能な将来像を描き、共有するためには、国民同士、住民同士がよく話し合う必要があるということである（9-4 を参照）。

9-3. 「持続可能な社会」実現のための取り組み

（1）持続可能な地域づくり

　持続可能な社会を実現するために具体的にどのような取り組みが考えられるだろうか。国際的なキャンペーンの展開、個人の意識変革を目指した教育活動、企業活動の改革などさまざまなものが考えられるが、我々にとって身近な存在である地域・自治体のレベルで持続可能な社会の実現を目指した取り組みを実践する、「持続可能な地域づくり」も重要な手段になると考えられる。持続可能な地域づくりとは、将来世代にわたって安心・安全・快適に生活できる地域社会を実現するために、環境・経済・社会の諸要素を相互に関連付けながら分野横断的に地域づくり事業を展開していく取り組みである。

　近年、持続可能な開発目標（SDGs）への関心の高まりなども影響して、日本でも国が自治体等に対して持続可能な地域づくりに取り組むことを促す動きが盛んになりつつある*3。そして、国内全体で見ればまだ一部に限定されるが、持続可能な地域づくりを重要な政策テーマと位置づけ、地域内に存在する自然環境や農林業をはじめとする各種の地域資源（詳しくは後述）を活かした社会経済活動の活性化などに積極的に取り組む自治体も見られるようになっている。

（2）北海道下川町の事例

　その具体事例として北海道下川町（人口約 3,000 人）を紹介したい。

　下川町は、1960 年代のピーク時には人口が 1 万 5,000 人を超えていたが、町内にあった鉱山の閉山などの影響を受け、急激な人口減少による過疎化に悩まされるようになった。そうした事態に強い危機感をもった下川町の関係者は、同町が豊富に有する森林とそれに立脚した林業を基軸にした持続可能な地域づくりに積極的に取り組むようになる（写真 9-1）。

　具体的には、町内の森林で環境に配慮しながら育てられた木材を無駄なく利用することを目指して、主伐材の加工・製品化だけでなく、これまで利用されることが少なかった間伐材や枝葉等を原料にした木炭、キノコ菌床、消臭剤、割り箸、アロマオイルなど多様な製品の企画・製造が実施されている（写真 9-2）。さらに、木材加工の工程から出る端材も再生可能エネルギーとして有効利用するために、端材を燃やして暖房等の熱源となる温水をつくり、それを町の

*2 「持続可能な発展」の定義の多様性に関しては、森田・川島(1993)を参照。

*3 例えば内閣府が推進する「SDGs 未来都市・自治体 SDGs モデル事業・広域連携 SDGs モデル事業」、環境省が推進する「地域循環共生圏」などがあげられる。

中心市街地に点在する公共施設に供給する地域熱供給システムを整備している。下川町ではこのシステムを導入したことによって、町が支払っていた光熱水費を以前（石油を使用時）よりも削減させることに成功したが、そこで浮いたお金を子育て環境の充実を目的にした基金として積み立て、子どもの医療費無料化、保育園の保育料や給食費等の削減などの原資として活用している。その他にも、森をフィールドにした子供向けの環境教育プログラムの実践、チェーンソーアートの国際大会や市民が森を楽しむイベントの開催など、森林を活かした文化活動も盛んに実施されている。

　このように下川町では、森林を軸に環境・経済・社会の各分野を跨ぐ形の地域づくり事業が活発に展開されている。こうした地域づくりが活発化したこともあり、近年同町では、森林に関わる仕事をしたいと考えて移住してくる若者が増加するといった成果をあげている[4]。

写真 9-1　下川町内の森林

写真 9-2　下川町産の木材で建設された宿泊施設（モデル住宅）

（3）滋賀県東近江市の事例

　滋賀県内でも持続可能な地域づくりを積極的に展開する地域・自治体が見られる。そのひとつ、東近江市（人口約 11 万 2,000 人）は「コミュニティビジネス」が活発に展開されていることで注目されている。コミュニティビジネスとは、地域が抱える課題の解決にビジネス的な手法を用いて取り組む事業のことである。地域が有する各種の資源を有効に活用しながら営利的な事業を展開することによって、地域での雇用の創出やコミュニティの活性化などにつながる

ことが期待されている。

　同市内におけるコミュニティビジネスの代表的な事例である「菜の花エコプロジェクト」は、1990年代から愛東地区（旧愛東町）で継続的に実施されてきた事業である。地域で生産された菜の花から食用油を製造、それを家庭や学校給食で使用した後、通常は廃棄される廃食油をバイオディーゼル燃料（BDF）に精製してディーゼル車の燃料などとして販売・利用するという取り組みで、その後、同様の事業が全国各地に波及していったことで知られている。

　その他にも、東近江市内では多様なコミュニティビジネスの実践事例が生み出されている。例えば、地域の寺院や移住者、農家、酒造会社などが連携し、400年以上前に織田信長による寺院の焼き討ちによって製造が途絶えてしまった日本酒の復活に取り組む「百済寺 樽プロジェクト」、市民からの資金提供で太陽光発電を設置し、売電収益を地域商品券の形で提供者に還元する「東近江Sun 讃プロジェクト」、奥永源寺・政所 町で古くから栽培されてきた「政所茶」の生産・販売促進とそれを通じた地元集落の活性化に地域内外の市民が連携して取り組む事業、古民家を改装し、市民等が交流できるコミュニティカフェや各種イベントを開催するシェアスペースとして活用する事業、農作業や農村の生活などを体験するツアー（グリーンツーリズム）の実施、などの取り組みが行われている（写真9-3）。

　同市内のこれらの事業は、農家、主婦、自治会関係者、行政職員、地元企業、地域外から移住してきた若者など、多様な担い手の参加・協働（詳しくは後述）によって実施されている点に特徴がある。さらに、いくつかの事業には、滋賀県立大学の卒業生や現役の学生、教員も深くかかわっている。

写真9-3　政所町と茶畑

9-4. 持続可能な地域づくりの推進方策

　こうした持続可能な地域づくりを推進していく上では、具体的にどのような取り組み、考え方が必要になるのだろうか。ここでは、その代表的なものとし

て、「地域資源」、「参加・協働」、「望ましい将来像」について述べる。

（1）地域資源の把握

　先に紹介した事例は、いずれもその地域がもともと有している自然や産業などに関連する特徴・特性を取り組みの素材としてうまく活用して事業化していったという共通性を有している。こうした特徴・特性は「地域資源」と呼ばれ、持続可能な地域づくりを推進する上で重視されている。

　具体的に地域資源は、以下で説明する「自然資源」、「産業・インフラ資源」、「人的資源」などに整理することができる[*5]。

①自然資源

　自然資源は、地域の自然環境に由来する特性・特徴のことを指す。具体的には、風、太陽光、雪氷、森林、水、温泉などが該当する。これらを活かした取り組みとしては、太陽光発電や風力発電、地熱発電などの再生可能エネルギーの導入、先ほど紹介したような森林を活用した地域の産業の活性化などがあげられる。

②産業・インフラ資源

　産業・インフラ資源は、地域に存在する農林漁業、商業、工業等の産業ならびにそこで生み出される生産物、公共交通や商店街などの社会経済活動の基盤となる施設・設備等のことを指す。これらを活かした取り組みとしては、農作物を活かした地域ブランド品の創出、公共交通を活用した環境配慮型の都市づくりなどがあげられる。

③人的資源

　人的資源は、事業の担い手や協力者としての役割を果たす人材のことを指す。具体的には、自治体やNPO等の職員、企業関係者、研究者、学生、一般の市民など多様である。持続可能な地域づくりを進める上では、先述した自然資源等がいくら豊富に存在していても、それらを有効に活用し、事業を立案・実行できる人材がいなければ何も始まらず、地域資源は宝の持ち腐れに終わってしまう。そういった意味で人的資源は非常に重要な資源であると言える。

　持続可能な地域づくりを推進していくにあたっては、まず自分たちの地域にはどのような資源が存在しているか十分に把握・整理し、それらをベースにどのような事業を展開できるか議論・検討していくプロセスが重要である[*6]。

（2）参加・協働

　持続可能な地域づくりは、これまでの事例からも分かるように、農林業、観光業、教育、福祉、環境・エネルギーなど多岐にわたる分野を跨いだ取り組みになる。よって、これまでのような行政主導による事業の推進には限界があり、

*5　その他にも、地域が有する歴史や祭礼・芸術などの文化も重要な地域資源（歴史・文化資源）と捉えられる。

*6　詳細は、和田ほか（2011）を参照。

110

地域内の市民や企業、NPO など多様な主体が当事者意識をもちながら政策・事業の立案や事業の推進に積極的に「参加」するとともに、そうした異なる主体同士が対等な立場に立って連携していく「協働」にもとづいた取り組みの実践が不可欠である。

　実際に、下川町では、先ほど紹介した地域づくり事業が本格化する前に、有志の農林業・商業関係者や移住者、主婦、行政職員等で構成された研究会「下川町産業クラスター研究会」において地域づくりの方向性や事業案に関して活発な議論が交わされ、そこで合意された内容にもとづいてその後の具体的な事業が展開されていった、というプロセスをたどっている。また、東近江市においては、先述したように多様な地域主体の参加・協働によってコミュニティビジネスが展開されているが、その他に市が主導する形で「東近江市環境円卓会議」という組織が設置され、環境保全や持続可能な地域づくりのあり方について地域の多様な主体が集まり定期的に議論を重ねる機会が設けられている。

（3）望ましい将来像の設定

　「持続可能な社会」の実現には、各人の行動の変化をもたらす都市構造の変革や、人々のライフスタイルの変更を促す制度設計が必要であるが、これらは長期的なビジョンや戦略が必要であるという点で、従来のエンドオブパイプ型（終末処理型）の対策技術のような対症療法とは性質を異にする。「持続可能な社会」実現に向けた戦略的政策形成のためには、環境制約の下で、私たちが具体的にいかなる社会でどのように生活、仕事をしていきたいのか、といった「望ましい将来像」をあらかじめ設定しておくことが重要である。望ましい将来像を描き、その目標に到達するには今から何をしなければならないかを検討するという方法は、「バックキャスティング」手法と呼ばれる。

　森田・川島(1993)が示すように、「持続可能な発展」概念の定義は論者によって多様であるが、ライフスタイル、産業活動、都市のあり方、南北間、世代間などあらゆる文脈で問われるとともに、経済的、社会的、環境的、空間的など様々な次元で検討されるべき概念である。当然ながら日本においても、人々の生活の質や豊かさを問う上で避けて通れない問題であり、正面から取り組む必要があることは明らかである。

　望ましい将来像を設定する場面ではさまざまな人が集まり、議論を交わすことが不可欠であるが、持続可能な社会の姿は大別して次の二つのタイプにわけることができる。

　一つは、国が先導するような大規模な先端技術に支えられる「高度技術社会」であり、環境効率性の高い社会で産業の高次化が進む社会である。環境産業の発展により経済成長もしながら、そのような産業によって供給される環境に配

慮した製品やサービスにより暮らしの面でも環境負荷の低減が進むという社会のイメージである。

　もう一つは、自然の力を活用した小規模の適正技術を振興する「自然共生型社会」である。このような社会では、生活のペースを今より少しスローダウンし、得られた時間で自ら家の手入れや家庭菜園などの園芸を行ったり、ものを修理したりしながら大事に使う生産的消費者への変化が求められる。また、地域の自治や NGO/NPO 活動への参加、地産地消といった小規模な経済で充足感を得る社会である。

　持続可能な社会の将来像に関する二つの社会の姿について、皆さんはどちらを好むだろうか。社会や生活の各分野における具体的イメージについては、参考資料（本書第 11 章に掲載）の琵琶湖環境科学研究センター総合解析室(2008)『二つの持続可能社会の姿』を参照の上、検討してほしい（図 9-1）。

高度技術型社会	自然共生型社会
ビジョンA: 活力、成長志向	ビジョンB: ゆとり、足るを知る
都市型/個人を大事に	分散型/コミュニティ重視
集中生産・リサイクル 技術によるブレイクスルー	地産地消、必要な分の生産・消費 もったいない
より便利で快適な社会を目指す	社会・文化的価値を尊ぶ

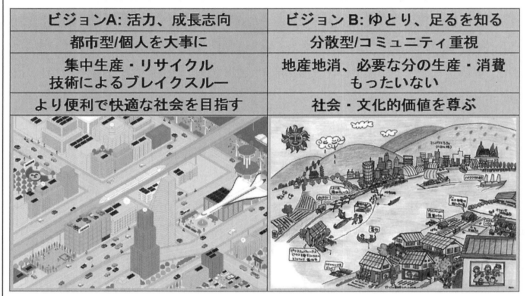

図 9-1　二つの持続可能な社会像　出所：「2050 日本低炭素社会」シナリオチーム（2009）

参考文献

・林宰司(2006)「発展途上国のサスティナブルな発展と地球温暖化対策」，岩波書店『環境と公害』，第 35 巻第 4 号，pp.24-30
・保母武彦（2013），『日本の農山村をどのように再生するか』岩波書店
・的場信敬・平岡俊一・豊田陽介・木原浩貴（2018），『エネルギー・ガバナンス――地域の政策・事業を支える社会的基盤』学芸出版社
・森田恒幸・川島康子(1993)，「「持続可能な発展論」の現状と課題」，慶應義塾経済学会『三田学会雑誌』85 巻 4 号，pp.532-561
・「2050 日本低炭素社会」シナリオチーム（2009），「低炭素社会叙述ビジョンの構築」，国立環境研究所
・下川町（2014），『エネルギー自立と地域創造――北海道下川町のチャレンジ』
・和田武・新川達郎・田浦健朗・平岡俊一・豊田陽介・伊与田昌慶（2011），『地域資源を活かす温暖化対策――自立する地域をめざして』学芸出版社

9-5. 都市暮らしと田舎暮らし

　都市と田舎の暮らし方にはそれぞれ利点と欠点がある。従来のライフスタイルでは、都市に住むか、田舎に住むかの二者択一であった。しかし、近年になって、都市と田舎の両方に拠点をもつ暮らし方が少しずつ広がってきた。「Dual life（デュアルライフ）」という和製英語（二拠点居住、もしくは二地域居住）は、まさにそんな暮らしを指す新しい言葉である。これまでも、普段は都会に暮らして、夏は避暑地（冬は避寒地）の別荘で過ごすといった暮らし方は存在した。しかし、そのような暮らしは一部のお金持ちにしか手が届かないものだった。現在、広がりつつある都市と田舎の両方に拠点をもつ暮らしは、お金持ちではなく、普通の人ができる点で大きく異なる。近い将来の暮らし方として、複数の拠点をもつ暮らしについて述べる。

9-6. 都市の発展

　産業構造や経済活動の発達により、都市化が急速に進んだ。日本でも、明治時代には、新潟県や石川県など米どころで海運業が盛んだった県が、都道府県人口で1位だったことがある。最近のデータ（2022年）をみると、都道府県人口の上位5県は、東京、神奈川、大阪、愛知、埼玉の順である。新潟と石川はそれぞれ15位と33位になり、大きく順位が下がったことがわかる*7。この結果から、東京、大阪、名古屋といった大都市圏に人口が集中し、地方の人口が大きく減ったことがわかる。東京圏など大都市圏に人口が集中するのは、発展途上国では普通だが、先進国ではかならずしもそうではない。シンガポールやクウェートといった小さな都市国家を除くと、日本は、人口100万人以上の大都市で生活する大都市住民の比率が世界第二位である（2022年の日本の総人口に対する都市人口の割合は92%）*8。つまり、大都市への極端な人口集中が生じている。

*7　総務省統計局ホームページ

*8　The World Bank ホームページ

9-7. 都市と田舎の利点と欠点

　大都市圏に人口が集中することにはもちろん理由がある。職が得やすいこと、都市が提供する娯楽、買い物、医療、教育などのサービスが充実していること、他人とかかわりなく自由に暮らせることなどである。一方、住居が狭いこと、通勤に時間がかかること（通勤ラッシュや車の渋滞）、自然環境に恵まれないことなどの短所もある。これに対して、田舎には住居や庭が広いこと、通勤ラッシュがなく通勤時間が短いこと、車の渋滞がないこと、自然環境に恵まれることなど、大都市とは反対の利点がある。しかし、同時に、職がなかなか得られないこと、職種が少ないこと、都市的な娯楽が少ないこと、買い物や医療・教育サービスに恵まれないこと、地域社会内のつきあい

がわずらわしいことなど、都市とは正反対の短所がある。

　最近になって、田舎の短所の一部が改善されてきた。たとえば、ネット通販の普及により買い物の利便性が高まったことや、インターネットの普及により情報通信手段の利便性が高くなった。こうした利便性の向上は、都会のオフィスではなく、田舎でリモートワークすることを可能にした。これに加えて、2020年に突発的に発生した新型コロナウィルスは、世界的な流行を引き起こし、とりわけ過密な大都市生活のもたらすリスクについても注目されるようになった。大都市生活のリスクを避けるために、田舎にも生活の拠点をもち、普段はリモートワーク、必要なときだけ大都市のオフィスに行く暮らし方も徐々に広まってきた[*9]。このような状況の中で、都市と田舎の生活のよさを両立させるライフスタイルが徐々に広まってきており、ライフスタイルを決める上で、どのような持続可能な社会を描くのかが問われる。

9-8.　価値観の変化：所有から共有へ

　ここまで述べたような事情だけではなく、複数の拠点をもつ暮らしが広がる背景には、ものがあふれる社会の中で、自分で所有するだけでなく、社会で共有し、必要なときに利用する価値観が少しずつ浸透してきたことがあるだろう。

　従来の価値観だと、お金をかけて大きな邸宅に住み、たくさんの高価なものに囲まれて暮らすのが理想だった。しかし、最近のお金持ちはかならずしも、高級品にこだわらなくなってきたといわれる。家が広すぎると、自分で管理するのが大変だし、人を雇って管理してもらうのも面倒だ。他の人に誇示するように、高級ブランド品で身を包むのも野暮だ。お金持ちだけでなく、若者もかつてのように、ステータスのシンボルとしてマイカーを買うのに熱中しなくなり、カーシェアリングも普及してきた。家についても、数十年のローンを組んで必死で働いて手に入れるのではなく、古家を改装したり、家の一部を旅行者に貸し出したり、あえて小さな家に住むことを選んだりする人も増えてきた。そもそも、家自体はすでに日本で余っていて、空き家だらけになっているのだ。自動車の宅配サービスであるUber（ウーバー）や旅行者に対する部屋の貸し出しのAirbnb（エアビーアンドビー）といった企業が勃興 したのも、シェアリングエコノミーの普及ゆえだろう[*10]。

　シェアリングエコノミーとは、インターネットを介して、個人同士でモノや場所、スキルなどを取引するサービスのことである。2022年度の日本におけるシェアリングエコノミーの市場規模は2兆6,158億円であり[*11]、今後も市場規模の拡大が見込まれている。シェアリングエコノミービジネスは、事業者が消費者にサービスを提供する従来のビジネス（B to Cサービス）とは

*9　総務省報道局資料令和2年5月29日発表

*10　平成27年度版情報通信白書

*11　一般社団法人シェアリングエコノミー協会ホームページ https://sharing-economy.jp/ja/news/20230124

異なり、事業者はあくまでマッチングの場となるプラットフォームを提供するだけで、基本的にはSNSを活用して個人同士で取引を行う形式（C to C サービス）である。人々の価値観が所有から共有による利用へと変わったことは、将来の暮らし方を大きく変えるだろう。

9-9．複数の拠点をもつ暮らし方：デュアルライフの例

　ここでは、暮らしの中で都市と田舎を行き来しながら両方の生活を行うこと（デュアルライフ）について考えてみる。もしも、長いローンを組んで自宅を新築しなくてもよくなれば、暮らし方は大きく変わるだろう。都市に小さな家（部屋）を持つのであれば費用は少なくてすむ。その替わりに、田舎にもう一つの拠点をもつことができる。都会ではむずかしい、菜園づくり、大規模なDIY、野外活動などが可能になる。働き方としては、リモートワーク、フリーランスや、最近、働き方改革で導入が進められている副業などが考えられる。

　もちろん二拠点での生活にはコストもかかる。移動のための交通費、家具・家電など生活必需品が二倍必要になる。また、安定した収入がなかなか得られないかもしれない。その一方で、田舎では農産物などが安く、中古住宅が安く借りられるなどのメリットもある。さらに、人口減少に悩む自治体では、さまざまな移住支援制度を設けている。たとえば長野県では、県が運営する求人マッチングサイトで採用される必要があるが、採用された人には最大100万円の移住支援金が支給される。似たような移住支援策がある自治体は数多くあるので興味があれば調べてみてほしい[12]。

　複数の拠点をもつ暮らしは、かならずしも、都市と田舎にそれぞれ家をもつことではない。たとえば、週末を田舎で過ごして、田舎で好きな活動をすることも含まれる。田舎の人はよく「なにもない」というが、住んでいる人には住んでいる地域の良さが意外と見えないことも多い。都市と田舎を行き来することは、田舎の良さの発見にもつながるかもしれない。

　大都市圏に住む人がデュアルライフを求めるきっかけは何だろうか。かつては、子育てを考える年齢で自然が残る郊外のマンションや一戸建てを購入する世帯が多くを占めていた。しかし、近年は共働き世帯が増加し、通勤や子育ての利便性を優先し、都心部の便利な立地の住まいを選ぶ傾向が高まっている。都心での生活はおのずと合理的になる。そのため、都会とは全く違う環境に、心のゆとりがもてる空間を持ちたいと感じるようになるのかもしれない。また、大規模な自然災害の発生により、家族の絆や、職場以外に貢献できる場を考える機会も増えている。このようなさまざまな背景が、都会だけの生活に満足できず、デュアルライフを求めるきっかけになっていると

*12　一般社団法人移住・交流推進機構ホームページ

考えられる。

　デュアルライフを実践している人（デュアラー）の目的をタイプ別にみてみると、図9-2のように大きく6つに分けることができる*13。

*13　SUUMO，デュアルライフをはじめよう，https://suumo.jp/edit/oudan/duallife/about.html

図9-2 デュアルライフを楽しむ人（デュアラー）の目的
出典：「SUUMO，デュアルライフをはじめよう」*13

　田舎に滞在する場合は、趣味や自然を満喫したり、子供と一緒に体験できるイベントに参加したり、地元の人と交流したいという意識が強いようである。近年は若者中心に「地方に貢献したい」という思いを持つ人も増えているが、実際に実践している人は、かならずしも初めからそれが目的だった訳ではなく、地方に通い、地域に溶け込んでいく中で、自分のできることを意識することから始まる人も多いという。デュアルライフは旅行と違って、何度も現地を訪れてその地域や人の魅力を深く知れるからこそ、魅力を開拓していく幅も広く、当初は想定していなかったことが楽しみになっていくのかもしれない。

　以上のように楽しみ方はさまざまだが、所有することにとらわれない楽しみ方は今や世界中で普及しつつある。文明の進展につれて、「モノ」の所有から「こと」を楽しむ方へ、大きく時代は動いてゆくのだろう。

１０　自然と地域との共生②

（中央揃え右）－建築・街・農業に里山は必要か－

予習　テキストをよく読み、授業までに以下の内容についてノートにまとめること。

①　里山とはどのように定義されるかを示し、私たちの暮らしとどのように関係しているか
　　述べなさい。

※予習にかかる時間はおおよそ 1.5 時間を想定している。

10-1. 里山と農業

　日本の里山は農業と密接に関係する。そこで、日本の農業との関わりに注目して、里山とは何か考えたい。

10-1-1. 日本の農業の成り立ち[*1]

　旧石器時代の人々はナウマン象などの大型草食獣を狩猟するため約2万年前に大陸から日本列島に移り住んできたと言われる。その後、乱獲などのため、それら大型草食獣は絶滅したが、不足する食糧を補うため木の実など植物類も利用するようになった結果、人口は縄文早期(約8000年前)の2万人から縄文中期(約4300年前)の26万人に増加した。しかし、寒冷化などの気候変動もあり原生の植生環境が大きく変化したため、縄文晩期(約2900年前)には7万6000人まで減少する事態となった。このように狩猟が中心であった縄文時代は、食糧確保が大きな問題であった。

　弥生時代(紀元前300年〜)に入ると、渡来人が灌漑(かんがい)による水田稲作技術をもたらしたため食糧事情は安定し、人口は60万人弱まで増加した。この時期がいわゆる農業の始まりと考えられ、水稲に限らず様々な農作物の種子・苗木やその育成技術が広がって、原生の森は切り払われて農地・生活の場となった。そして時代とともに農地面積が拡大して生産技術も進歩し人口が増大していった。その結果、わずか377,900km² のしかも平地の少ない国土の中で1億3千万人弱が生活する事実は驚異である。こうした歴史の中で、いわゆる「里山」という人間が介在する「二次的自然」が形成されたと言える。

10-1-2. 里山とは

　「里山」という言葉から何を感じるか。テレビで見られる農村の田畑や小川、鎮守の森などを思い浮かべるかもしれない(図 10-1)。この言葉は、森林生態学者である 四手井綱英(しでいつなひで) 京都大学名誉教授が昭和30年頃に用いたのが端緒とされる。一方、中村・本田(2010)[*2]によると、里山の「里」は整理された生産地の象形である「田」と土地神を祀(まつ)る「ほこら」の象形である「土」が合わさったものである。つまり、「自然の中で暮ら

図 10-1　里地里山の風景

*1　養父志乃夫「里地里山文化論」農文協，2009

*2 中村俊彦，本田裕子「里地，里山の語法と概念の変遷」千葉県生物多様センター研究報告 2:13-20，2010
http://www.bdcchiba.jp/publication/bulletin/bulletin02/rcbc2-02glossary_013-020.pdf

す人々の願いとそれを通して形成された土地の姿を示す言葉」である。

　現在考えられている里山の概念の一つを図 10-2 に示した。この図を見ると「里山」以外にも「里地」、「深山」という言葉が使われている。基本的には「里」が用いられると人間が関わる「二次的自然」を意味する。他には「里湖」「里海」などがある。図 10-2 で示す「里地」「里山」は我々の食料を生産する農業の生産基盤である。農業とその二次的自然の関わりを考えるため、環境省の定義に従って「里地里山」と言う用語を用いる[3]。この「里地里山」は国土全体の約 4 割を占める(二次林約 8 万 km²、農地など約 7 万 km²)。その機能は次のようなものが考えられている。

*3　「里地里山の保全・活用」，環境省，https://www.env.go.jp/nature/satoyama/top.html

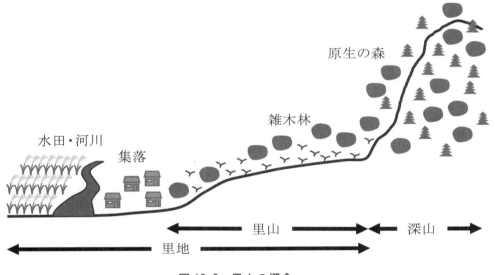

図 10-2　里山の概念

1. 資源供給機能

　　薪炭(アカマツ・クヌギ・コナラなど)、肥料(落葉を堆肥にしたもの)、生活用具(農具の柄など)、食料(キノコ類・山菜・イナゴ等)、薬(ドクダミ・ゲンノショウコなど)、儀礼(お月見のススキなど)、装飾、子供の四季の遊び(昆虫類、笹笛など)、狩猟の場、家畜の放牧地などが挙げられる。

2. 生物多様性保全機能

　　里地里山は動植物の種の多様性をもたらしており、意外なことに絶滅危惧種が原生的自然地域より多いと言われる。特にレッドデータブックに記載される種のうち里山に生育するものは動物全体の 49%、植物全体の 55% を占める。

3. 水源涵養・防災機能

　　里地里山の水田・林地(雑木林)は高い貯水能力があるため、土砂流出や洪水を抑制し、降雨が長期間無くても湖沼や河川の水を維持する。

4. 環境保全機能

　雑木林などの木々は防風林・防火林・防音林として、さらに大気や水の浄

化機能を備えるなど、住民の快適な生活環境を提供する。

10-1-3. 里地里山の消滅

　1960 年代から始まる高度経済成長以降、日本の産業構造は農業中心から工業・商業中心へと大きく変化し、その影響で日本の農村も大きく変化した。例えば、石油・ガス・電気が里山から採取される薪炭を代替し、化学肥料が落ち葉などの堆肥を代替してきた。都市近郊では農地とともに里地里山が宅地用地(図 10-3)として開発された結果、関東近郊では 1970〜2000 年の間に 64%消滅したとの報告もある。また、都市域近郊以外の中山間地域*4 でも、限界集落*5 と呼ばれるなど農村集落そのものが維持できず、いわゆる里地里山の荒廃が叫ばれるようになった。

図 10-3　里地里山から新興住宅街へ

10-1-4. 里地里山は必要か

　もともと里地里山はその資源供給機能に依存した生活基盤の確立のため形成されたものであり、手軽で安価な代替品が存在する現在では里地里山を維持する必要性が乏しい。つまり、里地里山を維持するために積極的に面倒を見る必要があり、そのような努力を惜しみ人間が立ち入らなくなると里山はその機能を失い別の環境へと徐々に変化する。

　里地里山は資源供給機能の他にも生物多様性保全機能など様々な機能がある。それらの機能を維持したいなら、誰がどのようにコストや労力を負担するか考える必要がある。例えば、全国の里地里山の全面積は 15 万 km² であるが、里山のまま公園化して維持管理している国営武蔵丘陵公園の例にならって業者委託した場合、4.5 兆円必要となる。また、都市域、農村地域、中山間地域などの立地条件や場所による気候特性の違いなどに配慮してきめ細かく管理しないと里地里山の維持は困難である。

　皆に問いたい。我々にとって里地里山は必要か。必要なら誰が何をどの程度負担するか?また、効率よく維持するためにはどのような仕組みを作れば良いであろうか?

10-2. 建築・街にとって里山は必要か

10-2-1. 木・森林と建物・街との関係

　原始時代から明治初期ごろまで、社寺建築や城、町屋や農家などの民家など、日本の建物のほとんどすべてが木造建物であった。その理由は、日本には森林・里山が多く存在し、木材資源に恵まれていたからである。里山の木々は、建築材料として利用されるだけでなく、かつては、日常生活での煮炊きや暖房のための燃料、家具や生活用品の材料にも使われていた。ある地域では、家庭に女の子が生まれると同時にキリの木を植え、その子が成長して嫁入りするときに、植えた木を利用して嫁入り道具を作ることもあった。さらに、海岸近くの村落では、里山は海からの強風を防ぐ防風林としての役割も担っていた。このように、これまで里山は良好な住環境を与える場として、人々の生活に深く関わってきた。

　さて、持続可能な社会の前提として、二酸化炭素の吸収量・排出量という視点から、木・森林（里山）と木造建物・街の関係を考えてみよう。

　木を含む植物は、光合成をする際に、二酸化炭素を吸収して酸素を排出する。一方、木も呼吸をするので、呼吸をする際には、逆に二酸化炭素を排出して酸素を吸収する。木が多数集まっている森林で見ると、そこには多くの動植物や菌類も生息しているので、呼吸による二酸化炭素の排出量も多い。森林や木が生長している過程では光合成が活発に行われるので、森林全体としては、二酸化炭素の排出量に比べて吸収量が多いだろう。しかし、木の生長が止まったり木が枯れたりするような森林の衰退過程では、動植物の呼吸や枯死した草木が分解されることによって、森林全体としては、二酸化炭素の吸収量に比べて排出量が多くなることも考えられる。すなわち、森林は必ずしも二酸化炭素吸収源にはならないということである[6]。

　次に、木造建物あるいはそれらが集まった街について見てみよう。木造建物や街自体は、植物のように二酸化炭素を吸収することはない。しかし、森林が衰退過程に入る前に木を伐採し、それらを腐らせたり燃やしたりせずに、建築材料として有効に活用すれば、炭素として蓄積することができる。さらに、木を伐採した跡に新しく植林すれば、それらが生育する過程で二酸化炭素を吸収する。このように、木造建物や街は森林と連携することによって、二酸化炭素の削減に大きく貢献できる可能性がある。このような背景から、国産の木材の公共建物への利用を促進する法律も整備されつつある[7]。

[6] 田中淳夫「森林からのニッポン再生」平凡社新書，2007

[7] 公共建築物等における木材の利用の促進に関する法律，林野庁，H22.5.26, 公布,H22.10.1施行：http://www.rinya.maff.go.jp/j/riyou/koukyou/index.html、

10-2-2. 木造建物の建て方による分類

　現代の木造建物は、使用する材料や建て方（構法）によって様々に分類される。木造建物の構法による分類を図 10-4 に示す[8][9]。

*8　菊池重昭「建築学構造シリーズ　建築木質構造」オーム社，2001

*9　羽根義男「図解雑学建築」ナツメ社，2000

$$
\text{木造建物}
\begin{cases}
\text{軸組構法} \begin{cases} \text{在来軸組構法} \\ \text{伝統構法} \end{cases} \\
\text{枠組壁工法（ツーバイフォー）} \\
\text{丸太組構法（ログハウス）} \\
\text{その他}
\end{cases}
$$

図 10-4　木造建物の分類

　軸組構法は、垂直に立てる「柱」と水平に置く「梁」を組み合わせて骨組（軸組）を作りながら建物を建てる方法であり、在来軸組構法と伝統構法に大別される。在来軸組構法には、鉄筋コンクリートで作られた基礎を持つ、軸組の間に土塗り壁や筋かい・面材が設置される、柱や梁のつなぎ目には金物・金具が用いられるなどの特徴がある（図 10-5(a)）。一方、伝統構法では、石（礎石）の上に柱が直接建てられることが多く、土塗り壁が用いられるがその量は少ない。また、金物・金具を使わずに、木を加工することによって柱と梁や梁どうしをつないでいる（図 10-5(b)）。

　在来軸組構法・枠組壁工法・丸太組構法の住宅では、筋かいや合板による壁が配置されたり、柱と梁が金物によってしっかり接合されたりするなど、実験や理論を踏まえた様々な技術が導入され、耐震的・耐風的および防火的な配慮がなされており、工学的な理論に基づいた設計方法が確立されている。また、壁が比較的多いため、気密性や断熱性も確保しやすい。

(a)　在来軸組構法　　　　　　　(b)　伝統構法

図 10-5　在来軸組構法と伝統構法

一方、伝統構法住宅では、先人の棟梁（とうりょう）や大工たちの創意・工夫から生み出された伝統的な技法を導入することによって、耐震的・耐風的・防火的な配慮がなされている。これらの伝統的な技術は、先人たちが考えだし、永年の経験や知恵を踏まえて進歩しながら継承されてきたものであるが、現代工学の視点で見た場合には、耐震・耐風性に未解明の部分も多く、在来軸組構法や枠組壁工法などに比べて耐震性能が劣る場合もある。

10-2-3. ２つの持続可能型社会における木造住宅

　自然共生型社会と高度技術型社会の２つの持続可能型社会における住宅（木造住宅）のイメージを、それぞれ以下に示す[10]。

(a) 自然共生型社会での住宅（自然共生型住宅）
・自然の樹木、雨、風、日差しなど自然を活用したエコロジーな住宅。ただし、室内の環境が気候に左右されやすく、また断熱性・気密性を確保することも難しい。
・地域の木材、地域の伝統を活かした住宅。
・伝統構法の住宅。

(b) 高度技術型社会での住宅（高度技術型住宅）
・断熱性、気密性に優れた省エネ空調を完備した家。室内の環境をコントロールすることができる。
・最新の素材や輸入材を用いた便利で快適な住宅。
・在来軸組工法、枠組壁工法、丸太組構法の住宅。

　このような対極的な２つの社会での住宅について、皆さんはどちらを好むだろうか。

*10　二つの持続可能社会の姿「どちらを選ぶ？」、滋賀県琵琶湖環境科学研究センター総合解析室，2008

123

■ 滋賀県立大学の地域教育プログラム

　滋賀県立大学は開学以来「地域に根ざし、地域に学び、地域に貢献する」ことをモットー（方針）としています。当初から科目として設置された環境フィールドワークや環琵琶湖文化論実習など、地域と関わる教育プログラムが多くあります。また、多くの教員が地域での調査研究活動、委員会活動、NPO 活動などに携わっており、地域の協力、地域との連携のもとに成立している大学といえます。そうした中で、現行の地域教育プログラムは 2015（平成 27）年度から、全学必修科目：地域共生論を基礎として体系的に整理されました。ここではその中から特色あるプログラムとして近江楽座、近江楽士、近江環人の 3 つのプログラムを紹介します。

■ スチューデントファーム「近江楽座（おうみらくざ）」／まち・むら・くらしふれあい工舎

　近江楽座は、学部学生や大学院生が主体的に行う、地域活性化に貢献し、地域に根付くようなプロジェクトに対して、活動経費の助成、支援を行うプログラムです。2004（平成 16）年度の文部科学省「現代的教育ニーズ取組支援プログラム」に採択され、2006（平成 18）年度までの 3 年間の活動実績が大学発地域貢献の先進的な取り組みとして学内外で高く評価されたことから、2007（平成 19）年度からは、大学独自の予算を用いてプログラムを継続しています。活動は原則大学の単位にはなりませんが、2022（令和 4）年までに延べ 426 のプロジェクトが実施され、毎年 400 名ほどの学生が地域で主体的な活動を展開しています。

■ 近江楽士（おうみがくし）（地域学）副専攻

　近江楽士は、学部学生を対象とした「副専攻」プログラムです。副専攻プログラムは、主専攻（学科）のカリキュラムにプラスして能力を高めたい人が、誰でも受講することができます。副専攻を修了すると大学から称号「近江楽士」が付与されます。称号はプラスアルファの能力を保証するもので、在学中に修了見込みを得て就職活動等でアピールすることが可能です。2016（平成 28）年度からは、コミュニティ・ネットワーカー育成のプログラムに加えてソーシャル・アントレプレナー育成のプログラムが設置されました。副専攻プログラムでは、地域の課題解決や地域人との対話を通じて、コミュニケーション力、構想力、実践力を鍛え、地域社会での実践的な活動能力、変革力を養います。

■ 近江環人（おうみかんじん）地域再生学座（がくざ）

　学座は、地域まちづくり活動の推進役、コーディネーターを育成する、大学院に設置されたコースです。大学院に所属する学生は副専攻として、所属しない社会人は科目等履修生として受講することができます。2006（平成 18）年からスタートし、2020（令和 2 年）年 3 月で、140 名を超える人材が称号「近江環人」を獲得し、それぞれの地域、所属で活躍されています。授業では、地域診断から地域マネジメント、地域活動の実践まで、様々な知識とノウハウを修得し、現場での実践力を鍛えます。

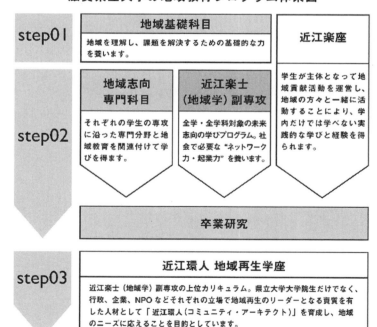

滋賀県立大学の地域教育プログラム体系図

step01

地域基礎科目
地域を理解し、課題を解決するための基礎的な力を養います。

近江楽座
学生が主体となって地域貢献活動を運営し、地域の方々と一緒に活動することにより、学内だけでは学べない実践的な学びと経験を得られます。

step02

地域志向専門科目
それぞれの学生の専攻に沿った専門分野と地域教育を関連付けて学びを得ます。

近江楽士（地域学）副専攻
全学・全学科対象の未来志向の学びプログラム。社会で必要な "ネットワーク力・起業力" を養います。

卒業研究

step03

近江環人 地域再生学座
近江楽士（地域学）副専攻の上位カリキュラム。県立大学大学院生だけでなく、行政、企業、NPO などそれぞれの立場で地域再生のリーダーとなる資質を有した人材として「近江環人（コミュニティ・アーキテクト）」を育成し、地域のニーズに応えることを目的としています。

　このように滋賀県立大学の地域教育プログラムは、琵琶湖を有し、歴史・文化的にも特徴ある滋賀県というフィールドにおいて、地域と学生・大学が互いに連携する形で展開されているのです。

１１　自然と地域との共生③

－あなたたちが選ぶ 2030 年の社会とは－

予習　テキストをよく読み、授業までに以下の内容についてワークシートにまとめること。

【1人で考えよう（事前学習）】

① 「自然共生型住宅」と「高度技術型住宅」の2種類の住宅と、「里山」と「都市化した街」の2種類の生活場所の組合せについて 2×2 のマトリックス（4つの象限＝選択肢）で整理し、それぞれどのような暮らし方（生活様式）が考えられるか、書き出しなさい。次ページ以降の琵琶湖環境科学研究センター総合解析室(2008)『二つの持続可能社会の姿』を参照すること。

② あなたが考える将来の望ましい暮らし方（生活場所と住宅）は4つの選択肢のうちどれか？なぜ、それを選んだか理由を述べなさい。

③ 将来、②で選んだ暮らしをするためには、どのような行動・対策が必要か？考えを述べなさい。

※予習にかかる時間はおおよそ 1.5 時間を想定している。

*1 二つの持続可能社会の姿「どちらを選ぶ？」，滋賀県琵琶湖環境科学研究センター総合解析室，2008

*2 マザーレイクゴールズ　ホームページ https://mlgs.shiga.jp/

11-1.　滋賀で描く持続可能な社会の姿

　滋賀県では、全国に先駆けて都道府県規模での持続可能な社会像について検討が行われた。その議論のために活用されたのが、次ページ以降の「二つの持続可能社会の姿」である[*1]。将来において二酸化炭素排出量の大幅削減を達成するための、持続可能な滋賀の社会像を対比的に示している。実際にはいずれかの社会像の一方だけが実現されるわけではないが、持続可能な地域社会の方向性を議論する上での示唆に富んでいる。

　上記の持続可能な社会像についての議論をもとに、滋賀県では「持続可能な滋賀社会ビジョン」が 2008 年に策定され、環境政策等に活用された。このほか、近年の持続可能な社会に関する地球規模の目標である SDGs の浸透を踏まえて、琵琶湖を切り口とした 2030 年の持続可能社会へ向けた 13 の目標からなるマザーレイクゴールズ（Mother Lake Goals, MLGs）が 2021 年に設定されている（図 11-1）[*2]。

11-2.　将来の望ましい暮らし方について考える

　ここで、「二つの持続可能社会の姿」で提示された「自然共生型社会」と「高度技術型社会」を念頭に、将来の望ましい暮らし方について考えてみよう。第 9 章と第 10 章で取り上げた、「自然共生型住宅」と「高度技術型住宅」の 2 種類の住宅と、「里山」と「都市化した街」の二つの生活を想定する。自然共生型の住宅は里山だけに建てられるのではなく、「都市化した街」においても目指すことができる。また、里山にあっても高度技術型の住宅に住むことは可能であろう。すなわち、2 種類 × 2 種類 ＝ 4 通りの暮らし方が考えられる。それぞれにおいて長所と短所があるであろうが、総合的に判断すること。

　当日はグループワークを行い、班でまとめた意見を発表する。班員それぞれが異なる価値観や意見を持っているが、限られた時間の中でも班員が納得する結論を導いてほしい。

図 11-1　マザーレイクゴールズ（MLGs）[*2]

Sustainable Shiga 2030
report vol.2, 2008

Which do you choose ?

二つの持続可能社会の姿

「どちらを選ぶ?」

いまや世界中が「持続可能社会」なるものを模索している。
持続可能社会の大前提は二酸化炭素排出量の大幅削減であるが、滋賀ではその目標を50％としている。
そのような目標に到達する社会の姿として、本稿では、二つの社会像を対比的に定義している。

一つは、
国が先導するような大規模な先端技術に支えられる
「高度技術型社会」であり、

もう一つは、
自然の力を活用した小規模の適正技術を振興する
「自然共生型社会」である。

さて、このような対極的な社会の姿について、
皆さんはどちらを好まれるだろうか。

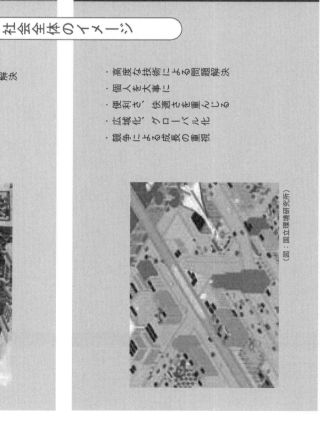

自然共生型社会　⇔　高度技術型社会

社会全体のイメージ

・自然の力、人々の協力による問題解決
・コミュニティを大事に
・伝統的、文化的価値を重んじる
・地域の自立、自律
・「もったいない」の重視

・高度な技術による問題解決
・個人を大事に
・便利さ、快適さを重んじる
・広域化、グローバル化
・競争による成長の重視

（図：国立環境研究所）

社会全体のイメージ

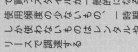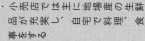

	自然共生型社会 ⟷ 高度技術型社会

ライフスタイル

家庭での暮らしかた

自然共生型社会
・多世代同居やルームシェア、コレクティブハウスなど、多様な形で暮らす家が増える
・複数の家族が集まり、共有して使うスペースがある
・家族が皆で分担、協力して家事を行う

高度技術型社会
・核家族や単身者の世帯が増え、1〜3人で暮らす家庭が主流に
・家族ごとに自分たちだけの生活の場を持っており、プライバシーが守られている
・食器洗浄乾燥機、掃除ロボットなどの普及により省力化が進む

住居のありかた

自然共生型社会
・自然の樹木、雨、風、日差しを活用したエコロジーな家
・地元工務店による、地域の木材、地域の伝統を活かした住宅
・借家、借地、賃貸マンションなどを借りて住む

高度技術型社会
・断熱性、気密性にすぐれ、省エネ空調の完備した家
・大手住宅会社による、最新の素材や輸入材を用いた便利で快適な住宅も
・土地や戸建て住宅、マンションを財産として購入する

(図:国立環境研究所)

日々の消費

自然共生型社会
・地元でとれた新鮮な産物を扱う直売店(朝市、夕市)が多くできる
・売り場にはリユース品も多く並んでいる
・近くに商店街があり、そこでの買い物が主流となる
・地元の商店が注文を聞き配達して回る"御用聞き"の仕組みが復活する
・欲しい商品、欲しい量を見極めて買うスタイルが一般的になる
・使用頻度の少ないもの、一時期しか使わないものはレンタルやリースで調達する

高度技術型社会
・遠方の産物も産地直送で新鮮なうちに買うことができる
・売り場には常に最新の商品が並んでいる
・郊外に大型量販店があり、そこでの買い物が主流となる
・インターネットなどで家にいながら端末で注文、自宅に配達してもらうことができる
・多種多様な商品の中から欲しいものを自由に購入することができる
・生活に必要なあらゆるものが、各家庭に買いそろえられている

食生活

自然共生型社会
・小売店では主に地場産の生鮮品が充実し、自宅で料理、食事をする
・規則正しい時間帯に、地元で食卓を囲んでみんなで一緒に食べる
・地元農家や家庭菜園でとれたものが中心
・季節ごとに、旬の食材を使ったものを食べる
・食材の生産から販売まで地元の"顔の見える関係"が安全を保証している

高度技術型社会
・小売店では弁当、惣菜など加工食品が充実し、外食も賑わっている
・生活スタイルが多様化しており、家族がそれぞれ都合の良い時間に食事をする
・世界各地から輸入されたものが中心
・一年中、季節を問わず好きなものを食べることができる
・店頭の食品は電子タグで流通の履歴が情報管理されていることで安全が保証されている

自然共生型社会 ⇔ 高度技術型社会

仕事

自然共生型社会
・ゆとりの多い勤務時間でほどほどの収入
・ワークシェアリングで多様な仕事、多様な就業スタイルで働く人が増える
・ワーカーズコレクティブ（協働事業）や農村回帰などにより一次産業が再活性化
・地域密着型の企業が活躍する
・職場が家から近いところにあり、ちょっとした用事でも気軽に行き来できる

高度技術型社会
・仕事は忙しいが所得が高い
・高度な専門性を要する技術職・技能職に従事する人が増える
・一次から二次、三次産業へのシフトがより進む
・企業の再編により集約される競争力を持つ大
・情報インフラが整備され、職場は遠くても週に何回かは自宅で仕事することが可能となる

余暇

自然共生型社会
・家庭菜園やボランティアなど趣味と実益を兼ねた余暇を過ごす
・釣りやキャンプ、里山散策など自然の中で過ごす人が増える
・地域におもむき、人々と触れ合うことで地域の文化に直接触れる

高度技術型社会
・旅行、ショッピングなど娯楽に富んだ余暇を過ごす
・ゲームセンター、遊園地型のレジャー施設が賑わう
・バーチャル体験により国内外の観光名所に行った気分を手軽に味わえる

琵琶湖とのかかわり

自然共生型社会
・湖上は交通、物流の船が行き交い、湖岸は人々が生活の場や生物のすみかが復元される
・近江八景に代表される、滋賀古来からの文化を残す伝統的風景のフナやニゴロブナなど、琵琶湖独自の水産資源を得ることができる

高度技術型社会
・湖上は観光船が走り、湖岸は公園や道路が整備され、滋賀のレジャーの中心地となる
・琵琶湖を広く見渡せるマンションやホテルなどの大型施設が湖畔に建ち並ぶ
・観光客の訪問、商業施設の活性化により大経済効果が生まれるなど

地域基盤

土地利用

自然共生型社会
・市街地には高機能で集中的な、郊外や里山にはインフラで小規模な自立型のインフラが整備される
・都市はコンパクトにまとまり、住宅、職場、学校、商店等が近い範囲内に共存している
・自転車や徒歩で十分な範囲内に生活圏が形成される
・市街に緑地が増え、街路が子供の遊び場や交流の場となる

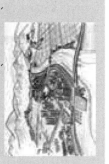

高度技術型社会
・近畿全域にまたがる大都市圏が形成され、県内にまんべんなくインフラが行き渡る
・都市近郊を中心にマンションや宅地が整備され、郊外型の大型商業施設が増える
・車の走りやすい道路網が整備され、日常生活の行動範囲がさらに広がる
・郊外を中心に、公園やレジャー施設が建てられる

水

自然共生型社会
・自然の植物、微生物の力で小規模に排水処理する仕組みが各地に普及し、し尿などは、回収して近隣の農地に肥料として利用される
・地域内で用途に合わせて水を繰り返し使う仕組みが復活する（川端など）
・飲み水として地域の水が用いられる

高度技術型社会
・ほぼ全ての家庭、事業所に下水道が普及し、超高度技術により集中的に処理される
・下水処理した水を再利用する"中水道"が普及する
・飲み水はミネラルウォーターが一般的になる

二つの持続可能社会「どちらを選ぶ?」

自然共生型社会 ⟷ 高度技術型社会

交通・物流

自然共生型社会

・近場の移動は、自転車のような、エネルギーを消費しない移動手段が一般的

・市街地には自転車道が整備され、バス、電車にも積み込んで遠方の移動にも自転車が利用できる

・船や電車による遠方への移動に自転車が利用できる

・カーシェアリングや乗合タクシー、コミュニティバスなど車は多人数で利用する形が主流になる

・地産地消や都市のコンパクト化により貨物の輸送距離が減少し、地域間の輸送は鉄道や船が主な手段となる

・自動車の交通量の大幅な減少に伴い、交通事故も減少する

高度技術型社会

・近場の移動として、ハイブリッド車、電気自動車など大幅に低燃費化した自動車が普及する

・各地にバイパスや有料道路が効率的に整備され、遠方でも車でスムーズに移動できる

・用途に応じたタイプの車が一人一台近く保有され、あらゆる場面で住民の足として活躍する

・流通の全国化、グローバル化により貨物輸送量は一層拡大し、新幹線など利用した大規模・高速貨物鉄道網が整備される

・道路網の整備、自動運転システムなどにより交通の流れが円滑になり、事故も減少する

街並み・景観

自然共生型社会

・伝統的な様式を基本とした各地の風土・歴史に応じた町並みを形成

・建物の容積率や高さが、法律や条例で制限されている

・広告、看板などは景観を害さないデザインに統一

・風や日射など、自然に配慮し、それを活用する街並みが整備されている

高度技術型社会

・琵琶湖など周辺の風景を見渡せるマンションが建ち並び、先端的な街並みを形成

・駅などでは高層ビル群が集積する

・様々な嗜好を凝らしたデザインの店舗が建ち並ぶ

・ヒートアイランドを緩和するため、ビルの屋上や周辺に緑地や水辺が整備されている

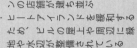

エネルギー

自然共生型社会

・新ストーブや電気を使わない冷蔵庫など、地域の資源を生かし、自然の仕組みを生かした製品が普及する

・省エネ型のライフスタイルへの転換によりエネルギー消費が大幅に減少

・太陽光、水力、風力、バイオマスなど自然エネルギー、再生可能エネルギーが家庭や地域で小規模な形で普及する

・これらの導入により地場産業が活発となり、地域用補助金や低利融資も活用される

高度技術型社会

・最新技術により高効率の家電製品、空調機器、コジェネレーション、給湯器などが開発される

・省エネ製品が広く普及することによりエネルギー消費が大幅に減少

・太陽光、水力、大型風力、バイオマスなど自然エネルギー、再生可能エネルギーの大規模な供給が主力となる

・これらの導入により大手メーカーを中心として大きな経済効果が生まれ、補助金や低利融資も活用される

ゴミ処理

自然共生型社会

・必要なものを見きわめて買う生活スタイルが定着し、ゴミの発生量が大幅に減少

・地域内で小規模なリサイクルの環境が形成される

高度技術型社会

・広域でゴミを回収し、溶融など高度な処理により最終処分量が大幅に減少

・不用となった製品を原材料に還元する"逆工場"が建設され、大規模な物質循環が実現する

自然共生型社会	←→	高度技術型社会

産　業

技術と製造業

自然共生型社会
- 県産材利用、バイオ燃料、小型風車、帆船づくりなど地域の力を取り組め、「適正技術」が地場産業として創成される
- 適量生産、注文生産で高品質、長寿命
- 地域内でのニーズとシーズを結ぶ事業が発展、譲りたい人と欲しい人をつなぐネットワークが構築される
- 労働集約型の製造業が増え、地域雇用が生み出される
- 熟練した匠が活躍している

高度技術型社会
- IT、バイオ、家電など様々な分野で先端技術が発展し、製造拠点が県内に立地する
- 量産可能な生産ラインで安定供給
- 最新の再生資源化技術を集積したリサイクル工業団地(エコタウン)が操業
- 大きな設備、資本を有する製造業が進出し、地域雇用が生み出される
- 高性能な製造ロボットが活躍している

サービス業

自然共生型社会
- 娯楽に関するサービス需要の多くが地域内で満たされる(散策、釣り、家庭菜園、炭焼き、陶芸など)
- 福祉、介護など高齢者サービスが地域の人々の非市場的な協働で行われる
- レンタル、リース、共同利用など製品のサービス化が進む
- 手作りが尊重されるようになり、それを助けるレンタル工房などのビジネスが登場する

高度技術型社会
- 娯楽に関するサービス需要の多くが外部で満たされる(大型レジャー施設、温泉、海外旅行、エコツーリズムなど)
- 福祉、介護など高齢者サービスがビジネス市場として大きく成長する
- 様々な製品のリサイクル率が向上し、再生品が新品同様に市場に流通している
- 様々な人の事細かな要望に対応したバリエーションのある商品が売買されている、ユーザー

農業

自然共生型社会
- 農村回帰の流れにより、農村と近くの都市との間で人やモノの流れが活性化している
- 有機、循環農業で人の協力や家畜の力が中心となる
- 地元で作られた季節ごとの旬の作物が消費されている
- 福祉、憩い、教育、更生、レジャーなど多様な目的で活用され、農地は重要な社会活動の場として位置づけられる

高度技術型社会
- 企業の農業参入などにより、市場出荷量の多い大規模農家が主流になる
- バイオ技術を駆使した植物工場型の大規模生産で省力化、品質管理が徹底される
- 季節を問わずあらゆる作物が栽培、収穫可能となる
- 大規模効率的な生産、出荷体制が確立されることで農業生産額が大幅に上昇、農地は重要な産業拠点として位置づけられる

水産業

自然共生型社会
- 自然湖岸を再生することで生態系が回復し、在来種の漁獲量が増加する

高度技術型社会
- バイオテクノロジーを活用した最先端の養殖により漁獲量が増加する

林業

自然共生型社会
- 生き物のすみか、憩いの場、教育の場としての森林の価値が重視される
- 地域の自然生態系に即した植林が育てられ、地元の住まいづくりなどに活用される
- 地域や外部のボランティアも参加した里山の維持管理

高度技術型社会
- 二酸化炭素吸収源として森林の価値が重視される
- 経済性の高い樹種を植林し、材木を広く出荷することで高い林業収益を得る
- 高性能林業機械を活用した大規模集中型の維持管理

経　済・法　制　度

経済

自然共生型社会
- GDPでみると経済規模は縮小しているが、地域内での取引が増大し、地域経済は活発化する

高度技術型社会
- 経済は安定成長を維持し、三十年で現在の約二倍の規模に成長する

税・制度

自然共生型社会
- グリーン税(炭素税など)が課税され、環境に配慮した地域づくりのための財源となる
- 景観税など、琵琶湖の環境利用に対する課税が導入される
- 個人レベルでの排出権取引が主流となり、排出権チケットが配布される
- 特区などによるエコ地域社会モデルの実現
- 県産材住宅を促進するため法制度や金利優遇優遇措置が整えられる

高度技術型社会
- グリーン税が一部実施され、省エネ型の住宅、機器、車などを促進するための財源となる
- 琵琶湖周辺の経済活性化のための税の減免が導入される
- 排出権取引市場が拡大し、県内外事業者による国際間の取引が行われる
- 特区などによるエコ産業拠点の実現
- 高性能省エネ住宅を促進するため法制度や金利優遇措置が整えられる

	自然共生型社会 ⇄ 高度技術型社会	
行政	・行政と住民の距離が近い、小回りがきく行政サービス ・NPOの指定管理、"スロー"な公共事業など行政と県民、事業者の協働が進んでいる ・適正な規模での自律	・自治体再編(市町村合併や道州制など)による効率的な地方行政 ・電子業務などを中心として企業へのアウトソーシングが進んでいる ・大きな地域基盤の確立
	社　会	
人間関係	・コミュニティなど、人同士のつながりの尊重 ・地域社会での世代性別をこえた、近所づきあいや町内での集まりなどが活発に行われる	・個人のプライバシーの尊重 ・IT社会の中で世代性別をこえて、遠く離れた者同士のコミュニケーションが活発に行われる
文化	・各地の固有文化が、住民の生活の一部として世代間に受け継がれていく ・祭りなどの年中行事に参加することで、自分の住む地域の文化を、身をもって体験する	・各地の固有文化が地域の観光資源としての価値を持ち、保護・再生される ・バーチャルリアリティ(仮想現実)の普及で、家にいながら世界各地の文化に触れることができる
国際交流	・地域レベルの技術支援やボランティアなど非営利活動を中心とした交流が活発になり、学習や文化交流のために滋賀を訪れる人が増える	・グローバル企業の進出など、ビジネスを中心とした交流が活発になり、仕事のために滋賀を訪れる人が増える
安全・安心	・住民が自主的に防犯・防災に取り組み、人同士の付き合いや物の豊かさにとらわれない価値観が定着し、犯罪の動機そのものが減少する	・防犯センサー、警報システム、災害予測システムが各町内・各家庭まで広く普及する ・信頼性の高い防犯システムが地域の犯罪を未然に防ぐ

	自然共生型社会	高度技術型社会
子育て	・地域の人々による協力体制が築かれている ・親、兄弟、祖父母など家族全員で子育て ・近くの保育施設やお年寄りなどコミュニティの力を借りることで子育ての負担が減る	・行政が子育てを手厚くサポート ・公共・民間の育児支援サービスが親の負担を軽減 ・職場(の近く)に二四時間保育施設が増え、働きながらの子育てが楽になる
教育	・衣食住に必要な技術・知識の体得を目標とした学習 ・コミュニティがキャンパスとなり、現場での実学が活発化する ・礼儀作法やマナー、食の大切さなどが家庭での生活を通じて身につく	・グローバルな競争社会に適応しうる高度な知識の学習 ・高等教育機関での専門家の指導によるハイレベルな学習が充実する ・礼儀作法やマナー、食の大切さなどが学校教育の一環として教えられる
健康・医療	・日常生活や仕事の中での運動、自然な食生活などを通じて健康が維持される ・予防医学の進展、健康的なライフスタイルで発病を予防する ・家族やコミュニティ運営の地域ネットワークによる介護が一般的に ・末期医療、緩和ケアの充実、尊厳死	・健康食品、サプリメント、フィットネスジムなどを活用することで健康を維持する ・診療技術、再生医療、製薬技術の進展により「不治の病」の多くが克服される ・健康情報管理端末、介護用ロボット、救急医療情報システムによる介護が一般的に ・医療技術の進歩により長寿命化する
	価　値　観	
価値観	・地球は有限である ・人と人、人と自然の共生が重視される ・この世はすべて次送り(生命の連鎖、循環) ・「三方良し」と「もったいない」	・地球は無限のフロンティアをもつ ・競争し、成長しあうことが重視される ・自己の欲求を追求すれば、社会の価値も高められる ・絶えることなく成長し発展を続ける

二つの持続可能社会の姿
「どららを運ぶ?」

2008年1月　発行

問い合わせ：
滋賀県琵琶湖環境科学研究センター　総合解析室
〒520-0022 大津市柳が崎5-34　http://www.lberi.jp/
TEL：077-526-4802
イラスト：今川未来

【１人で考えよう（事前学習）】

① 下記に示す２種類の住宅と２種類の生活場所の組合せについて、それぞれどのような暮らし方（生活様式）が考えられるか、記述しなさい。必要であれば、琵琶湖環境科学研究センター総合解析室(2008)『二つの持続可能社会の姿』を参考にすること。

		生活する場所（生活環境）	
		都市化した街	里山（農村・山村）
住宅	自然共生型	A	C
	高度技術型	B	D

② あなたが考える将来の望ましい暮らし方（生活場所と住宅）はA，B，C，Dのどれか？選んだ理由も記述すること。

暮らし方	A ・ B ・ C ・ D
理由	

③ 将来、②で選んだ暮らしをするためには、どのような行動・対策が必要か記述しなさい。

個人の行動	
みんなで協力する対策	

班番号：_____（チーム名：_____）　学籍番号：_____　氏名：_____

【グループで考えよう（プレゼンテーションの作成と発表）】

　以下の要領で、検討内容をプレゼンテーションとして画用紙4枚にまとめなさい。各シートには、文字だけでなく、イラストなどを用いてわかりやすいプレゼンテーションとすること。

班番号　　　　　　　　　出席者全員のサイン
①生活する場所：【都市】

・自然共生型住宅

・・・・・・

・・・・・・

・高度技術型住宅

・・・・・・

生活する場所を【都市】としたときの、それぞれの住宅での<u>暮らし方</u>、<u>長所・利点</u>、<u>短所・欠点</u>などをまとめること。

班番号
②生活する場所：【里山】

・自然共生型住宅

・・・・・・

・・・・・・

・高度技術型住宅

・・・・・・

生活する場所を【里山】としたときの、それぞれの住宅での<u>暮らし方</u>、<u>長所・利点</u>、<u>短所・欠点</u>などをまとめること。

班番号
③将来の望ましい暮らし方：○○

理由

・・・・・・

・・・・・・

グループが考える、将来の<u>望ましい暮らし方</u>（生活する場所と住宅）と、その暮らし方を<u>選んだ理由</u>をまとめること。

班番号
④必要な行動・対策

・個人の行動

・・・・・・

・・・・・・

・みんなで協力する対策

・・・・・・

グループが考える将来の望ましい暮らしをするために必要な、<u>個人の行動</u>と<u>みんなで協力する対策</u>などをまとめること。

１２　琵琶湖をめぐる共生の旅①

－旅の目的－

予習　本章のテキストを読み、授業までにワークシートの事前学習を完成させること。

【１人で考えよう（事前学習）】（30分～1時間を目処に完成させる）

① 旅のテーマを考えよう（10～20字）

　現在までの地域共生論の授業を通じて、滋賀県をモデルフィールドとし、共生について2泊3日、経費2万円程度（交通費除く、詳細は13章参照）の調べる旅に出るとすれば、どういった旅のテーマを掲げるべきか、まずひとりで考え、2つテーマをあげなさい。

　　テーマの例：

　　・「地域おこし協力隊を訪ねる／地域との共生」

　　・「地域自立生活支援の現状／福祉との共生」

　　・「地域の中での最先端技術／地域と技術の共生」

　　・「滋賀の食文化／自然の恵みとの共生」など。

② 旅の概要を考えよう（50～100字程度）

　テーマに沿った旅の概要を考える。

（他のメンバーにわかりやすく、何故興味を持ったかを論理的に組み立ててみよう。）

③ おおまかな場所を考えよう

　上記のテーマについて現地で観察したり調査したりするには、どのような場所が適切かを配布した地図や書籍、インターネットなどの情報を基に考えてみよう。フィールドは出身者や外部からの視点によって議論されることを期待し滋賀県とする。滋賀県は琵琶湖を中心に注ぐ河川、山、それを利用した集落など、さまざまな文化形態が見られる。例えば北部と南部では方言や食文化、産業などの違いもみられる。おおよその場所をイメージして、調査フィールドとして仮に決定してみよう。

これらを該当するワークシートに記入し、次回授業時に持参すること。

※予習にかかる時間はおおよそ1.5時間を想定している。その時間に集中し考えること。

12. 琵琶湖をめぐる共生の旅① －旅の目的－

12-1. 共生の旅とは

　滋賀県立大学では開学以来フィールドワークを重視している。滋賀県は自然、歴史、文化にめぐまれ、その土地から学ぶことは多い。ここでいう「共生の旅」が目指す「旅」は、単にその土地を見て回るだけの「観光」とは異なっている。そこに生きる人々から話を伺い、生活を観察し、時に暮らしを共にする。必要であれば現地を再訪問する。そうした方法を用いて、滋賀の風土や文化を手がかりに「共に生きるとは何か」を主体的に探求する旅である。この旅に大切なのは、探求の旅を個人的経験で終わらせるのではなく、他者と共有し、対話を通してより良い「知」を作り上げることである。そのためには、コミュニケーション能力や企画力、整理能力、プレゼン力などに磨きをかけることが求められる。

　12回から14回にかけては、これまでの授業で学んだ知識を活かし、それぞれが滋賀県下を探訪し学ぶためのフィールドワークの旅を企画することを目的とする。なお人間文化学部では開学以来「環琵琶湖文化論実習」[*1] という授業を実施し、そのなかで実際に各地を旅し、その地で問い、学んだことを報告書にまとめている。滋賀県立大学の図書館にはその報告書が配架されているので、それが最初の参考文献となる。また、図書館には滋賀県関係資料コーナーもあり、滋賀に関する多くの文献が揃っているので、それらも参照していただきたい。魅力的な共生の旅のプランが提出されることを期待している。

テーマの例
・「地域おこし協力隊を訪ねる／地域との共生」
・「地域自立生活支援の現状／福祉との共生」
・「地域の中での最先端技術／地域と技術の共生」
・「滋賀の食文化／自然の恵みとの共生」

　以上に挙げたテーマは、上から人間文化学部、人間看護学部、工学部、環境科学部を想定して作ってみたものとなっている。それぞれの学部にそれぞれのフィールドがあると思われる。別々のフィールド同士を組み合わせてみたとき、意外な発見が得られるかもしれない。誰か一人のアイディアではなく、グループメンバーのアイディアを持ち寄り、組み合わせ、独創的な旅を作りあげてほしい。

*1
「環琵琶湖文化論実習」滋賀県の歴史、文化、生活を対象とする実習である。地域、テーマ別に班を編成し、事前学習、宿泊をともなう現地での実習、さらに報告書の作成をおこなう。

12-2. 環琵琶湖文化論実習の今までの事例

　おおよそのテーマを決めたら、資料などを調べながら、以下の例をもとに実際にどの地域をめぐるのかを考えてみよう。

令和5年度　地域文化学科の事例

・事例1：地域資源としての文化遺産をいかに活用していくか

内容：滋賀県は卓越した国宝・重要文化財保有数を誇り、全国的にみても文化遺産の豊富な地域である。一言で文化遺産といっても、そこには建造物や美術工芸品、埋蔵文化財のほか文化的景観や無形文化遺産と、様々な形態のものが含まれるが、そのいずれもが地域の歴史や文化と深く紐づいた、地域のアイデンティティを形成する重要な「資源」である。ところが、それらの保存や活用の在り方には、個々の事例ごとに大きな相違や差異があるのが現状である。この旅では、県内のさまざまな文化遺産を対象に、事前学習とフィールドワークを通じて、それらの保存・活用の実態に迫る。その上で、文化遺産を地域資源としていかに活用していくべきかについて考えてみたい。

　実習の行程

1日目　大学発-竹生島-旧朽木村（朽木陣屋跡-旧朽木郵便局-丸八百貨店-志子淵神社-旧秀隣寺庭園）-道の駅藤樹の里あどがわ-宿舎

2日目　宿舎-滋賀県文化財保護協会-琵琶湖博物館-甲賀流忍術屋敷-宿舎

3日目　宿舎-安土城-滋賀県立安土城考古博物館-安土瓢箪山古墳-近江八幡市八幡伝統的建造物群保存地区（近江八幡市立資料館-旧西川家住宅-旧伴家住宅-旧八幡郵便局-ヴォーリズ記念館-八幡堀）-大学

・事例2：世界農業遺産「琵琶湖システム」の歴史と現在

1日目　大学発-蒲生氏郷公像-草津川跡地公園-道の駅草津（昼食）-堅田散策（湖族の郷資料館、浮御堂）-宿舎

2日目　宿舎-須原魚のゆりかご水田-道の駅藤樹の里あどがわ（昼食）-針江生水の郷-宿舎

3日目　宿舎-海津散策-道の駅あぢかまの里-道の駅湖北みずどりステーション（昼食）-長浜散策（湖のスコーレ、黒壁スクエア）-大学

・事例3：滋賀の景観から読み解く地域文化

1日目　大学発-兵主大社および野洲川周辺-朝鮮人街道-道の駅米プラザ（昼食）-延暦寺-瀬田の唐橋-宿舎

2日目　宿舎-坂本-妹子の郷（昼食）-中江藤樹記念館-道の駅藤樹の里あどがわ-宿舎

3日目　宿舎-マキノ-北淡海・丸子船の館、つづら尾崎展望台-道の駅あぢかまの里（昼食）-雨森地区-高月筑-大学

12-3. それぞれのテーマをもとに議論をする

【グループで考えよう】
ワークの目的：互いのアイディアについての理解を深めること。

一人あたりの持ち時間6分を目安に、以下の①②の流れで発表と議論を行う。

※ワークの前に自分の名前と学部学科をグループ内で共有しよう。他のメンバーの名前を座っている位置と合わせてメモしておくことをオススメする。

①記入済みのワークシートを用い、3分程度で、自身が調べてきた2つの「旅のテーマ」とそれぞれの「旅の概要」および「おおよその場所」を説明する。
　※後ほど、下の②で示した議論を経て次ページに示した作業を行い、グループで1つのテーマならびに行程等を決めてもらうため、必要に応じて簡単なメモを取るなどしておくこと。

②「工夫されていると思った点」「おもしろいと思った点」「疑問に思った点」などを指摘し、互いの意見をより具体的に知る。その際、特に以下のような点に留意しながら意見交流を進めることを意識してみよう。

・**テーマの魅力**：滋賀県ならではのテーマ、あるいは、滋賀県で行うからこそ深まりそうなテーマだと言えそうか
　※旅先を滋賀県に限定しているのは、本学が滋賀県立大学という公立の大学であることもさることながら、大学という場所には様々な出身地の学生が集っているため、それぞれの地元となると収集がつかなくなるからである。

・**フィールドのマッチング**：調べたいことを調べるために適切な場所を選ぶことができていると考えられるか
　※単純に行きたい場所、楽しそうな場所というのではなく、設定したテーマについて学ぶべき何かがあるかどうかが重要となる。

・**実現可能性**：実際に調査を進めることができそうかどうか
　※例えば、イナズマロックフェスについて調べたいと思っても西川貴教に直接インタビューするのは難しいかもしれない。

一人目の発表と議論が終了したら、①②を他の発表者についても繰り返す。

【グループで考えよう】

①旅のタイトルの決定

　1人で考えた旅のテーマを基に、グループで議論し、その旅にテーマが投影された魅力的なタイトルをつけてみよう。

②おおよその地域の決定

　タイトルに適切な地域がどのあたりか議論してみよう。個別に検討すれば多少の変更はありえるが、まずは複数の場所を決定しよう。旅は3日なので、宿泊場所やどのように移動するのかも考慮すること。

※滋賀県は広い。そのため、移動距離や移動時間も計算に入れる必要がある。
　スマートフォンのアプリを用いて調べるとよい。

③各自の役割の決定

　タイトルおよび、おおよその地域を決めたのち、それぞれの日の担当を決める。各班を3グループに分け、一日に2〜3か所のフィールドをまわるとして、それぞれの担当（例えば宿泊場所、訪問施設など）を決定する。

　例：学生a→宿泊場所1＋訪問施設2ヶ所、学生b→訪問施設3ヶ所
　＊詳細な内容の調査は次回への宿題とする。

④次週に向けた調査資料の準備

　次週は各自が調査した内容を発表してもらう。担当する地域について、資料を基に調査し、事前学習のシートに記入すること。次週グループ内で議論を円滑に進めるために、ワークシートの内容と資料のデータをLINEやメール等で共有しておくこと。その際、複写元など、参考文献の情報について、明確に記入しておくこと。

12-4. 調査方法について

12-4-1. 図書館の検索方法について　[次回への宿題]

　滋賀県立大学図書情報センターの web ページ*2 を用いて、文献調査を行う。朝日新聞クロスサーチ等の一部のデータベースや、滋賀県立大学が契約している電子ジャーナル、電子ブックは、学内のネットワークに接続しているパソコンからしか利用できない。しかし、VPN 接続*3 の手続きをすれば、学外からでも自由にデータベースを使用できるようになる。

12-4-2. 参考資料について　[次回への宿題]

　現在までの『環琵琶湖文化論実習報告書』は、図書館 3 階にある滋賀県関係資料コーナー前に並べられている（下図参照）。また、2019 年度まで刊行されていた『環境フィールドワーク報告書』は図書館 1 階の増設固定書庫に所蔵されている。次回までに、各自興味ある内容をコピーし、議論の参考資料とすること。

12-4-3. 基礎資料について　[次回への宿題]

　配布した滋賀県地図に加え、図書館 3 階にある滋賀県関係資料コーナーの文献を参照する。インターネットによる調査は、非常に限定的であるため*4、滋賀県関係資料コーナーを活用すること。

12　琵琶湖をめぐる共生の旅①　ワークシート　1／2

【1人で考えよう（事前学習）】

①琵琶湖をめぐる共生の旅としてふさわしいと思うテーマ、概要、場所・ルートを<u>2つ</u>提案しなさい。

	旅のテーマ	旅の概要：そのテーマが何故滋賀を考える上で面白いと思ったのか	場所・ルート：おおまかな行程を地図に描きながら、場所と想定される内容を箇条書きしなさい
①			
②			

評価基準：テーマの魅力／フィールドとのマッチング／アイディア（その人自身の視点）／実現可能性

班番号：_____　（チーム名：_____）　学籍番号：_____　氏名：_____

【グループで考えよう】

	司会	書記	メンバー	メンバー	メンバー	メンバー
メンバー 氏名						

タイトル 概要	タイトル（テーマ）				
	概要				

行先	

担当日 氏名	１日目	（宿泊）	２日目	（宿泊）	３日目	

・タイトル（テーマ）の魅力：	・フィールドとのマッチング：	・実現可能性：

感想・質問

１３　琵琶湖をめぐる共生の旅②

―旅を企画する―

予習 **本章のテキストを読み、授業までにワークシートの事前学習を完成させること。**

【１人で考えよう（事前学習）】

グループ内で詳細な地域を割り振り、各自が調査した内容を発表する。担当した地域について、資料を基に調査し、事前学習のシートに記入する。次週グループ内で議論を円滑に進めるために、シートと資料のコピーをグループ内の人数分用意する（あるいは画像データを共有する）。その際、複写元など、参考文献のデータについて、明確に記入しておくこと。

※予習にかかる時間はおおよそ 1.5 時間を想定している。その時間に集中し考えること。

13. 琵琶湖をめぐる共生の旅② ―旅を企画する―

13-1. 旅の具体化

　本章での目的は旅の具体化である。その目的地が提案されたら、次にそれをどのように「共生の旅」として具体化していくのかが課題となる。この旅の前提条件は以下の通りである。

- ・　旅は 2 泊 3 日とする
- ・　予算は 2 万円程度（入場料、宿泊料、全体での食事など）
- ・　交通手段は貸し切りバスを利用するが、その予算は大学が負担する
- ・　バス以外にロープウェイや船などを利用する場合は、予算から支出する
- ・　季節は 8 月〜9 月とする
- ・　出発地点と最終地点は滋賀県立大学とする
- ・　個別に購入する食費は 2 万円程度の予算に含めない

　2 万円程度の予算に入るもの
- ・　バス以外の交通費
- ・　宿泊費
- ・　全体で注文する食費
- ・　全体が利用する入場料、見学料、体験料

　以上が前提条件である。限られた条件のなかで可能な限り「共に生きるとは何か」を探求できるプランにする必要がある。たとえば、宿泊施設は、目的地に近い場所や、次の目的地への中間地点などから探さなければならないだろう。県内の宿泊施設を調べ、その費用を調べてみよう。豪華なホテルよりも暮らしに密着した民宿のほうがよい場合もあるかもしれない。また、旅に食事はつきものである。各地には、それぞれ特色のある食べ物がある。そうしたものを食べることも、「共に生きるとは何か」ということにつながる重要な調査となる。

　何時に着いて何時に出発するのか、バスの時間が長い場合にはその時間を有効に使うにはどうすればよいか、ひとつずつ具体的に検討してほしい。その上で**時間が入った行程表**を作成してみよう。

　プランを作成したら今度はグループで詳細に検討してみよう。グループでの検討とは、「討論」をすることではない。他人のプランをつぶすのではなく、

より高めていくための「議論」をするように心がけよう。そのためには、どのような議論の方法が適切かについても考えてみて欲しい。

13-2. 共生の旅の例

　ここでは、令和5年度の「環琵琶湖文化論実習」（地域文化学科）で実施した旅の例を取り上げる。旅の詳細な内容や行程については、本教科書の 12-2 の事例1「地域資源としての文化遺産をいかに活用していくか」に掲載してある。

　この旅は、地域文化学科の教員である金宇大と櫻井悟史（本節の筆者）が計画した。主に計画を立てたのは金の方で、櫻井は補助役であった。われわれは旅の計画を詳細に練ったが、計画通りに物事が進むわけではないことを痛感するとともに、はからずも滋賀県で生きるとはどういうことかを身をもって体験する旅となった。

　令和5年8月8日8時、われわれは予定通り滋賀県立大学をバスで出発した。8時35分に最初の目的地である長浜港に到着し、そこから船で竹生島に渡った。竹生島には国宝や重要文化財がたくさん保存・活用されているうえに、島自体が日本遺産「琵琶湖とその水辺景観——祈りと暮らしの水遺産」の構成文化財となっている。文化遺産の活用を考えるうえでは欠かせない土地であった。ところが、港についてすぐに問題が発生した。台風の影響で、長浜から竹生島に渡ることはできるのだが、竹生島から今津港に向かう便が欠航となってしまったのである。船で琵琶湖を横断することが困難であった時代の人々の生活を思わずにはいられなかった。

　2日目も波乱の幕開けであった。1日目の夜を高島市で過ごしたわれわれは、予定通り朝8時15分にホテルを出発した。そこから国道161号線を南下し、大津市の滋賀県文化財保護協会に向かう予定だった。しかし、白髭神社付近まで来たあたりで交通事故が発生し、そのまま南下することができなくなってしまった。土地がたくさんありそうなのに、大型バスが迂回できるルートもなかった。そのため、われわれは高島市方面に引き返し、長浜市から高速道路を使用して大津に向かうという、琵琶湖を当初とは逆回りの方向で回るルートをとらざるをえなかった。思わぬ形で滋賀県の交通の問題が明るみになった出来事であった。

　こうしたトラブルから、滋賀県で生きるとは、琵琶湖とともに生きるとはどういうことか学ぶことがあるのも、旅の醍醐味である。もちろん、当初の目的を忘れることもなかった。滋賀県文化財保護協会では出土した土器を洗う体験を通して、文化財の保存が多くの人の地道な作業に支えられていることを学んだ。志子淵神社を訪れた際は、偶然にも神社を清掃する地元の人たちと出会い、人びとの生活とともに文化遺産があることを学べた。甲賀流忍術屋敷では、虚構の忍者像とリアルな忍者像の間で、文化遺産の活用の在り方を考えさせられた。忍者が人

気である一方で、安土瓢箪山古墳は、滋賀県最大の古墳でありながら、意識して
みなければ古墳があることにも気づかないぐらい活用されていない状態であっ
た。活用される文化遺産と活用されない文化遺産があることをどう考えるべきか、
そもそも文化遺産は活用すべきなのか。日本第4位の国宝・重要文化財保有県で
ある滋賀県は、こうした問いと向き合いながら、文化遺産とともに生きる土地で
もあるのである。

【「地域資源としての文化遺産をいかに活用していくか」の旅の予算書】

支出	金額	備考
竹生島フェリー代	2,610	団体料金
竹生島拝観料	540	団体料金
1日目昼食代（体験交流センターゆめの）	0	各自支払い
旧秀隣寺庭園・興聖寺拝観料	300	
1日目宿泊費（丸三旅館）	7,100	
2日目昼食代（道の駅アグリの郷栗東・日替わり定食）	880	
安土城跡入山料	700	
安土城考古博物館	540	団体料金
2日目宿泊費（八幡屋）	6,800	
甲賀流忍術屋敷入館料	650	団体料金
琵琶湖博物館入館料	550	学生・団体料金
3日目昼食代（南陽軒・串カツ＆ハンバーグ弁当）	680	
近江八幡市立資料館・旧西川家住宅・旧伴家住宅入館料	700	
ヴォーリズ記念館入館料	400	
合計		22,450

13-3. 調査資料に基づくディスカッション
13-3-1. 各自調査してきた資料をグループ内で発表する。

（ワーク30分/6人×5分）

　司会、書記など役割を決定する。資料をグループ内で共有し発表する。発
表者は調べてきた資料の概要、取り上げたい場所の特徴や興味深い点につい
て説明を行う。発表者以外は発表者に質問する。この作業を全員が終えた後、
旅の内容を具体化する作業を行う。

【グループで考えよう】

① 旅のタイトルを決定する

　前回決定したタイトルと、今回の発表を基に、グループで議論し、グルー
プの「共生の旅」のタイトル（テーマ）を決定する。

② 概要の決定

　旅の概要を議論する。

③ 行程の決定

　適切な地域を決め、具体的な行程を決定する。

※移動時間や宿泊料の調査などに、スマートフォンなどを活用しても良い。

④ シートの記入

以上の内容をシートに記入する。

13-3-2. グループワーク：ポスター（2枚）をつくろう

（まず鉛筆で下書きをする、完成後マジック等で清書）（説明5分）

<u>※ポスターは2枚作成する。</u>

必須記入項目

- 名前と学籍番号：1枚目右上に全員分記入する。
- グループ番号：1枚目、2枚目右上に記入する。
- タイトル：一番目立つ位置と大きさにする。
- コンセプト（旅の目的）：共生の旅の特徴を明確にする。キーワードとなる言葉は強調すると伝わりやすい。文章で伝えにくい内容は、ダイアグラムなどの模式図を用いても良い。
- 行程（所要時間含む）：それぞれの出発時間、到着時間を設定する。
- 地図：経路を記入したもの。巻末地図を利用するとよい。
- 予算書：13-2の予算書を参照しつつ作成、記入する。

ポスターの構成を考える

ポスターはプレゼンテーションを助けるものであり、連動するものである。「ヴィジュアル・コミュニケーション（VC）」ともいわれる。重要なのは図版などを利用してイメージを伝え、コンセプトなどを、文章の文字の大きさや色などの変化や、模式図などでわかりやすく伝えることである。

ポスター作りのヒント

- 各項目の「島」をつくってみる。13-4の具体例にある四角の囲みがそれぞれの「島」である。
- 「島」をつくったら、画用紙に配置してみる。むやみに配置するのではなく、ポスターを見る人が、どのように視線を動かすのか考えながら配置すること。
- あえて「島」の形や色を同じにすることで、「島」同士の関連を見せる。たとえば、13-4の具体例では、「コンセプト」と「旅の目標」の「島」が同じ形、同じ色をしていることがヴィジュアル的にわかるようになっている。これによって、ポスターを見る側は、「コンセプト」と「旅の目標」には何か関連があるのだなと思うことになる。
- 色を使う際にも、なぜその色を使うのか常に意識すること。つまり、色に

意味をもたせること。たとえば赤色はコンセプトの重要な箇所、青色は旅の行程で注意が必要な箇所（時間がタイトである、料金がかかる）など。たくさんの色を使えばよいというものではない。

・写真やイラストなども、積極的に使用すること。

13-4. ポスターの制作例

（1枚目）

タイトルを忘れずに

班番号、グループメンバー名を書く

1班
○○○○
△△△△

地域資源としての文化遺産をいかに活用していくか

コンセプト
滋賀県は卓越した国宝・重要文化財保有数を誇り、全国的にみても文化遺産の豊富な地域である。そのいずれもが地域の歴史や文化と深く紐づいた、地域のアイデンティティを形成する重要な「資源」である。ところが、それらの保存や活用の在り方には、個々の事例ごとに大きな相違や差異があるのが現状である。

この旅では、県内のさまざまな文化遺産を対象に、事前学習とフィールドワークを通じて、それらの保存・活用の実態に迫る。その上で、文化遺産を地域資源としていかに活用していくべきかについて考えてみたい。

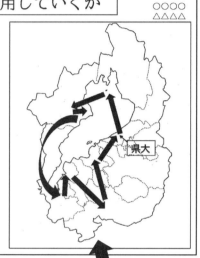

県大

大きな文字で

写真やイラストも使う

地図は経路も書く

（2枚目）

行程

1日目
8：00　大学　出発
8：50-11：45　長浜港-竹生島-今津港
12：00-13：10　体験交流センターゆめの（昼食）
13：35-15：35　旧朽木村
16：10-16：40　道の駅藤樹の里あどがわ
17：00　宿舎　到着（宿泊施設：丸三旅館）
2日目
8：15　宿舎　出発
9：30-11：30　滋賀県文化財保護協会
12：00-12：50　道の駅アグリの郷栗東
13：50-14：30　安土城跡
14：40-16：00　滋賀県立安土城考古博物館
16：15-16：40　安土瓢箪山古墳
17：10　宿舎　到着（宿泊施設：八幡屋）
3日目
8：45　宿舎　出発
9：30-10：30　甲賀流忍術屋敷
11：30-13：00　近江八幡まちあるき
17：45　大学　到着

予算書

1班

支出	金額	備考
竹生島フェリー代	2,610	団体料金
竹生島拝観料	540	団体料金
1日目昼食代（体験交流センターゆめの）	0	各自支払い
旧秀隣寺庭園・興聖寺拝観料	300	
1日目宿泊費（丸三旅館）	7,100	
2日目昼食代（道の駅アグリの郷栗東・日替わり定食）	880	
安土城総合入山料	700	
安土城考古博物館	540	団体料金
2日目宿泊費（八幡屋）	6,900	
甲賀流忍術屋敷入館料	650	団体料金
滋賀額博物館入館料	550	学生・団体料金
3日目昼食代（南蛮軒・串カツ＆ハンバーグ弁当）	680	
近江八幡市立資料館・旧西川家住宅・旧伴家住宅入館料	700	
ヴォーリズ記念館入館料	400	
合計		22,450

旅の目標
・文化遺産の保存の現状を知る
・文化遺産の活用の具体例を知る
・文化遺産に関わる人に話を聞く
・文化遺産と共に生きるとはどういうことか考える

コンセプトと同じ色、同じ形の島にすることで関連性があることを示す

次回への宿題：各自3分のプレゼンテーション原稿を作成する

3分で約600字程度の内容となる。必ず練習すること。

※宿題にかかる時間はおおよそ1.5時間を想定している。集中し考えること。

150

１３　琵琶湖をめぐる共生の旅②　ワークシート　１／２

【１人で考えよう（事前学習）】

・次週は各自が調査した内容をグループ内で発表する。そのため、このワークシート（別添資料も可）を作成し、グループ内でLINEやメール等で共有しておくこと。内容は、①文献・基礎資料（収集した資料には他の人が調査できるように、題名、著者名、書籍名、出版社[『環琵琶湖文化論実習報告書』はなしでよい]、発行年、該当ページ数を明記すること。パンフレットの現物やコピーは記述なしも可）および②取り上げたい場所、施設（宿泊含む）の構成とする。

---

①文献・基礎資料（２点以上）

『環琵琶湖文化論実習報告書』『環境フィールドワーク報告書』等タイトルリスト

-
-
-
-

②取り上げたい場所、施設（宿泊含む）

担当（　　　）日目

-
-
-
-

※宿題にかかる時間はおおよそ1.5時間を想定している。その時間に集中して調査し考えること。

班番号：_____（チーム名：_____）　学籍番号：_____　氏名：_____

【グループで考えよう】

①旅のタイトルの決定

②概要

③行程

１日目：

２日目：

３日目：

② グループの議論で、工夫した点や反省・改善点、質問・感想について述べなさい。

１４　琵琶湖をめぐる共生の旅③

－プレゼンテーション－

予習 この授業までに各自 3 分のプレゼンテーション原稿を作成すること。
3 分で約 600 字程度の内容となる。練習してくること。

※予習にかかる時間はおおよそ 1.5 時間を想定している。その時間に集中し考えること。

14. 琵琶湖をめぐる共生の旅③ ープレゼンテーションー

14-1. プレゼンテーションについて
【グループで考えよう】

　ポスターの仕上げ、および各自作成してきた原稿を基に、プレゼンテーションの打ち合わせを行う。（20分）

1）ポスターの清書
- ・キーとなる部分を強調すること
- ・発表する言葉とポスターが連動すること
- ・色をあまり使いすぎないこと
- ・ポスターのみでも伝わるものとすること

2）良いプレゼンテーションとは

　3分で600字程度のボリュームが伝えられる。以下の内容に留意してプレゼンテーションを行う。

- ・原稿を出来るだけ見ずに、聴衆に対して伝えること
- ・制作されたポスターを上手く活用しプレゼンテーションをする
  （図表など用いながら指差し等で伝える）
- ・ゆっくりと大きな声で伝える
  （発表者を決定し、発表者以外の学生は、ポスターを持つ係や、タイムキーパーの係に適宜割り振ること）

14-2. 各グループのプレゼンテーション
- ・各グループでの発表（各3分）
- ・プレゼンテーションの評価
- ・一番良かった発表のポスターにシールを貼る
- ・講評（教員・サポーターなどによるグループ内講評）

14-3. 全体講評
- ・特色のある数班によるプレゼンテーション
- ・教員による全体講評

14-4. 評価について（評価基準）
- ・実現可能性、オリジナリティ、フィールドのマッチング
- ・パフォーマンス（パネルのプレゼンテーション、話者のプレゼンテーション）
- ・なぜこの行程なのか、なぜ魅力的なのか

14 琵琶湖をめぐる共生の旅③ ワークシート 1／2

班番号：_____ (チーム名：_____) 学籍番号：_____ 氏名：_____

【他のグループの発表を聴いて評価しよう】

各班のプレゼンテーションについて以下の評価基準で評価せよ。（きちんとメモをとること）

班・タイトル	評価基準		
	【実現可能性】 ・オリジナリティ ・フィールドとのマッチング	【パフォーマンス】 ・パネルのプレゼンテーション ・話者のプレゼンテーション	【内容の説得性と魅力】 ・何故この行程なのか ・何故魅力的なのか
【　】班			
【　】班			
【　】班			
【　】班			
【　】班			
【　】班			

14　琵琶湖をめぐる共生の旅③　ワークシート　2／2

班番号：_____（ﾁｰﾑ名：_____）　学籍番号：_____　氏名：_____

【1人で考えよう】

①優れていると思うプランの班番号およびタイトルを以下の評価項目について書きなさい。

1．総合的に優れている

【　　】班「タイトル：　　　　　　　　　　　　　　　　　　　　　」

2．プレゼンテーションが優れている

【　　】班「タイトル：　　　　　　　　　　　　　　　　　　　　　」

3．ポスターが優れている

【　　】班「タイトル：　　　　　　　　　　　　　　　　　　　　　」

② あなたの班のポスターやプレゼンテーションについての自己評価、工夫した点、改善点および改善策について述べなさい。また、質問・感想についてあれば記述しなさい。

１５　私の地域共生論

-授業を通じて得た学び-

<u>予習</u>　**テキストをよく読み、授業までに以下の事前学習を完成させること。**

【１人で考えよう（事前学習）】

　「私にとっての地域共生」について、以下の手順であなたの考えを整理しなさい。

①　キーワードを挙げる。

②　自分の特性や専門性に「地域共生」がどのように関係するのか「関係図」で示す。

　　※予習にかかる時間はおおよそ 1.5 時間を想定している。

１５　私の地域共生論

15-1.　自己の気づきとしての他者との対話の意義

　本学では、開学当初から「キャンパスは琵琶湖。テキストは人間。」をモットーにした教育プログラムを実践している。こうした取り組みを更に進化させるためにも、地域教育プログラムを受講する学生が、その履修前後でどのような教育的効果を得られたのか、またどういったモチベーションで日々の学習・研究に取り組めばよいのか、大学としてサポートしていくことが責務だと考えている。そうした意味で他者との対話は、各自の現在の立ち位置を客観的に知ることを第一に、地域共生論で今後展開される講義の内容を、より自分のこととして取り組んでいく素地をつくる重要な機会である。

15-2.　地域共生論で展開したグループワークの意義

　大学での学びは、それまでの中等教育（中学・高校）とは大きく異なる。これを理解せずに、大学の授業や演習、ゼミを受講すると、4 年間の学部教育の学びが不十分なままで学生生活を過ごしかねない。

　では、高校と大学における学びのスタイルの違いは何であろうか。

　端的に表現するとすれば、「一つの解を求めるのか」、「そもそもの問いを探すのか」の大きく 2 つの立場に分けられる。前者は、マークシートテストに見られるような「明快でただ一つの回答」に象徴される高校までの学びである。

　一方、後者は、そもそもまだ見ぬ「解」を探すような未知の段階で、個人や集団が「課題」を見つける中で模索していく大学本来の学びである。特に、学部教育後半での研究室配属やそこで繰り広げられるゼミナールでのディスカッションは、大学教育たらしめる仕組みとして確立しており、こうした伝統的なスタイルは 21 世紀の今もなお、世界中の高等教育機関で採用されている。

　もちろん、これまでの大学の講義は、大人数を収容する階段教室での授業スタイルが一般的であるのも事実である。こうした反省に立ち、近年では、大学入学初年時においても、少人数でのディスカッション形式の授業やグループワークが導入されつつある。これを一般に、アクティブラーニング（主体的な学び）と呼ぶ。

　では、なぜこうしたアクティブラーニングをグループで実践することが有効なのだろうか。その理由の一つとして挙げられるのが、「グループのなかでの個人の成長」[1] である。個人が持つ考え方や感性は、必ずしも他者と同様のものではない。同質的な集団であったとしても、これまでの人生で培われてきた個人が持つ主義主張は、他者とは異なるオリジナリティに溢れるものである。

*1 慶応義塾大学教養研究センター監修「アカデミック・スキルズ　グループ学習入門　学び合う場づくりの技法」, 慶応義塾大学出版会, 2013, p10

真の教養とは「単純な能力ではなく、考え方や感じ方の幅の広さや深みである」*2。こうした幅を広げる一歩が、様々な人とのディスカッションであり、グループワークである。これによって初めて、他者の視点や価値観を知ることができ、さらには自分自身の感性を磨くことができる。地域共生論におけるグループワークはこうした意図を持って用意されていたのである。

*2　前掲書（アカデミック・スキルズ　グループ学習入門　学び合う場づくりの技法），p11

15-3.　身につける3つの力（コミュニケーション力、構想力、実践力）

本学が掲げる「地域教育プログラム」では、身につけてほしい3つの力を定義している。

（1）他者を理解し共感し豊かな対話を可能にする「**コミュニケーション力**」
（2）地域の過去や現状に関する正しい認識の上に立って、あるべき未来の姿を描き出す「**構想力**」
（3）自ら率先して行動し、人をまきこみ、試行錯誤しながら構想を実現に導く「**実践力**」

こうした力を身につけることは、一筋縄では行かない。大学の4年間を通じてすべての力を満遍なく身につけることはできないかもしれない。しかし、これらの力の習得に向けて、学び自体を楽しみながら、将来の自己実現につながる知識や知恵を身につけてほしい。地域共生論での経験は、そうした道筋を自らが切り拓くひとつのキッカケとして位置づけることができるだろう。

写真 15-1「そもそもの問いを探す」という学びにおいて、
フィールドでの体感は、ヒントや糧を得る絶好の機会

15-4. 自己の成長を測る指標としてのリテラシーとコンピテンシー

　自己の成長を確かなものとするためにも、より客観的な視点で自己を見つめることが不可欠である。現在、学びや成長度合を測るモノサシは、さまざまな分野で適用され活用されているが、特に大学などの高等教育機関においては、一般的に広く使われているものとして、「リテラシー」と「コンピテンシー」が挙げられる。

　高校までの学びで高めてきた能力は、前者のリテラシーであり、以下のような能力に定義される。

リテラシー（literacy）
　読み書き能力。また，ある分野に関する知識やそれを活用する能力。[3]

　一方、大学での課外活動や研究室等のプロジェクト、あるいは、その後の社会人で培われてゆく対人コミュニケーションなどの経験によって高められる指標はコンピテンシーであり、以下のように定義される。

コンピテンシー（competency）
　単なる知識や技能だけではなく、技能や態度を含む様々な心理的・社会的なリソースを活用して、特定の文脈の中で複雑な要求（課題）に対応することができる力。[4]

　特に、本学が掲げる3つの力（コミュニケーション力、構想力、実践力）はコンピテンシーがベースとなり、その上で、企画を立案し、計画立てていく実践活動の中で、リテラシーも活用するという相乗的な力を想定している。

　なお、経済活動、気候変動への対応などにおいてグローバル化が進みつつある現在において、国際的な動向としてもコンピテンシーに対する注目が集まっている。例えば、OECD は教育の成果と影響に関する情報への関心が高まり、「キー・コンピテンシー（主要能力）」の特定と分析に伴うコンセプトを各国共通にする必要性が強調されており、OECD はプログラム「コンピテンシーの定義と選択」（DeSeCo）を 1997 年末にスタートした。そこでの「キー・コンピテンシーの概念[5]」は、以下のように整理されている。

DeSeCo によるキー・コンピテンシーの概念
　「キー・コンピテンシー」とは、日常生活のあらゆる場面で必要なコンピテンシーをすべて列挙するのではなく、コンピテンシーの中で、特に、
　（1）人生の成功や社会の発展にとって有益
　（2）さまざまな文脈の中でも重要な要求（課題）に対応するために必要
　（3）特定の専門家ではなくすべての個人にとって重要、といった性質を持つとして選択されたもの

この3つのキー・コンピテンシーの枠組みの中心にあるのは、個人が深く考

*3　松村明「大辞林第三版」三省堂，2006

*4　文部科学省「PTSA調査（科学的リテラシー）及び TIMSS 調査（理科）の結果分析と改善の方向（要旨）」http://www.mext.go.jp/a_menu/shotou/gakuryoku/siryo/05020801/027.htm

*5　文部科学省「OECDにおける「キー・コンピテンシー」について」http://www.mext.go.jp/b_menu/shingi/chukyo/chukyo3/016/siryo/06092005/002/001.htm

え、行動することの必要性である。深く考えることには、目前の状況に対して特定の定式や方法を反復継続的に当てはめることができる力だけではなく、変化に対応する力、経験から学ぶ力、批判的な立場で考え、行動する力が含まれる。その背景には、「変化」、「複雑性」、「相互依存」に特徴付けられる世界への対応の必要があったとDeSeCoの報告文では述べられている。

15-5. 主体的な学びのキッカケとしての自己の強みの可視化

　前述のように、自己の学びの成長が大きく分けてリテラシーとコンピテンシーという指標によって大きく2つに分類されることがわかった。

　ただし、地域共生論をはじめとする大学の授業科目において目指していることは、「主体的に如何に学ぶか」「どのように成長したいか」であり、決して指標やデータに踊らされることではない。あくまでも自己の能力指標（リテラシー、コンピテンシー）の強みのところを積極的に自己評価しながら、さらにその能力を高めようとする主体性を養うことを目指している。

　特に、地域共生論では、アクティブラーニングによって、「そもそもの問いを探す」という観点からグループワークを繰り返す。この一連の行動を通じて、「自分自身の意見」をまとめ、「多様な意見」にふれあい、「グループとしての意見」としてまとめ、「第三者へ提示」することの意義を見出していく。

　それでは、そもそも自分自身の強みとは、何であろうか。

　このヒントとして、他者との対話の経験を活用し、自身の可能性を垣間見てほしいと考えている。ここでいう自己探求とは、「あなた自身が、歩んできた人生の中で培ってきた諸資源（興味関心、習得してきた技術（勉学・スポーツ・趣味など）、家族・友人・学校・地域とのつながりなど）を棚卸し、未来に向けての自分の方向性を見出していく作業」である。

写真 15-2　グループワークは他者の視点から
自分自身を客観視できる貴重な場

15-6. 授業のふりかえり

　地域共生とは何か、その概要を学ぶとともに、共生するための作法を体感的に学習してきた。これまでの学びを振り返ってみよう。

　第1回〜3回では、地域共生の必要性と考え方を学んだ。

　自身にとっての地域とは何か、共生とは何か、そもそも自分自身は何のために生まれ、生きているのか。やりたいこと、やれること、やるべきことは何か。夢は何か、一人でできないことでもグループで考えできそうなことは何か。これからの「未来」を志向するにあたって、共生の概念の必要性を述べてきた。

　未来は自分一人で築くものではない、他者とのかかわり、連携で生み出されるものであることに気がついたであろうか。

　そうした、他者とのつながりを築くための基本的な素養が「コミュニケーション」である。「ともに分かち合う」ということがその本質である。やはりコミュニケーションは苦手、という人もいるであろう。大いに結構。コミュニケーションが苦手なことを活かしてコミュニケーションがとれれば良い。共生において多様性は包摂される。

　第4回、5回は人間看護学部の専門性からコミュニケーションの基礎を学んだ。コミュニケーションの基本は「聴く力」「話す力」そして「相手の気持ちを理解し受けとめる力」である。対話の改善を通じてその要点を学んだ。果たして全15回の授業を通じて、自身のコミュニケーション力は高まっただろうか？

　第6回〜8回は工学部の専門性から地域共生の概念を学んだ。人間が地球環境や地域環境と共生する社会の方向性として「自立性を高めた」「分散型社会」という方向が示唆された。これをテーマに「滋賀県内」で「省エネルギー型」の「ものづくり産業」について考えた。省エネルギーを実践するためのシェアハウスを考えた。シェアハウスの仕様については個々人で意見が分かれたところであるが、合意形成して一つの解答を得た。

　第9回〜11回は環境科学部の専門性から地域共生の概念を学んだ。ここで提示されたのは、社会の未来像としての「高度技術型社会」と「自然共生型社会」である。日本社会の共生の象徴としての「里山」の概念を学びつつ、将来あるべき社会像はどちらであるか、思考を深めた。最後は「地域」と「家」の4象限のマトリックスを選択肢として、「将来の望ましい暮らし方」についてグループで議論を深めた。答えは様々であり何が正解かはわからない。しかし、自らが目指すべき将来像を描き、そこに向かって行動を行うという「バックキャスティング」が未来をはぐくむことを学んだ。

　第12回〜14回は人間文化学部の専門性から地域共生について考えた。「琵琶湖をめぐる共生の旅」を主題に、滋賀県を巡り、地域共生を学ぶ旅を考えた。ここでは、実現可能な魅力的な旅のプランが命題とされ、時間、コストを考慮

したプランニングをグループで協力して創造した。歴史、文化、工芸、食、技術、まちづくりなど様々なテーマでの共生の旅が生み出された。

　地域共生というテーマに専門性はない。どの専門も地球環境と共に生きる人類のため、社会のためになにがしかの「つながり」を有している。
　私たちが学ぶべきは、そうした「つながり」の存在を知り、理解し、受けとめることである。それはまさに、時間、空間、社会そして皆さん方の多様な専門性との「コミュニケーション」である。例えば、時間は未来を見据えること、空間は地域をとらえること、社会は多様性を包含すること、そしてこれから身につける専門性は、これからの社会の構築にどのような役割を果たすのかを見いだすことが求められるであろう。人口減少の時代の「新たな社会」の形成には、そうしたつながりをイメージし、自らの個性やこれから学ぶ専門性を、如何にして地域や社会で活かすことができるのかが問われている。

15-7. 地域へ

　繰り返しになるが、滋賀県立大学が目指しているのは「知と実践力をそなえた人が育つ大学」である。人は育てるものではなく、自ら育つものであり、その環境や情報をいかに提供するかが大学の役割という意味が込められている。すなわち、皆さん方はそれぞれに差はあるが自ら育つ力があるということが前提であり、その環境や情報が良いか悪いかで、良く育つか、悪く育つか、あるいは育たないかが、決まるのである。皆さん方はもう大人であるから、環境や情報を自由に選ぶことができる。ぜひ、自らが育つことを実感できる「良い環境や情報」を選択し、自己の能力を伸ばしてほしい。
　では、そういった環境や情報はどこにあるのか。私たちは皆さんが学ぶこの滋賀県、滋賀の地域にあると考えている。この、希有な立地、環境、歴史、文化、生活を肌で感じて、体感していってほしい。そこでの学びは、皆さん方の個性を活かすと同時に、新しい地域社会の構築に寄与するものと確信している。

　地域から学び、主体的に考え行動し、課題を解決するスキルを向上させるプログラムが「地域教育プログラム」の「近江学士（地域学）副専攻」である。詳細については別途案内を行う。
　想像力、実践力を鍛錬し、地域社会を拓く人材を育成するプログラムである。是非チャレンジしてほしい。

滋賀県立大学　地域共生論運営委員会委員および執筆担当者

（運営委員は 2024 年度担当教員　肩書は 2024 年 3 月時点　順不同）

西田隆義（環境科学部　名誉教授）　　　　　　　　　　　　　　　　　　　（9　分担執筆）
工藤慎治（環境科学部環境生態学科　講師）
林　宰司（環境科学部環境政策・計画学科　准教授）　　　　　　　　　　　（9　分担執筆）
平岡俊一（環境科学部環境政策・計画学科　准教授）　　　　　　　　　　　（9　分担執筆）
吉川直樹（環境科学部環境政策・計画学科　講師）　　　　　　　　　　　　（9　分担執筆）
高田豊文（環境科学部環境建築デザイン学科　教授）　　　　　　　　　　　（10　分担執筆）
鄭　新源（環境科学部環境建築デザイン学科　講師）
岩間憲治（環境科学部生物資源管理学科　准教授）　　　　　　　　　　　　（10　分担執筆）
清水顕史（環境科学部生物資源管理学科　准教授）
松岡　純（工学部材料化学科　教授）　　　　　　　　　　　　　　　　　　（6　執筆）
秋山　毅（工学部材料化学科　准教授）　　　　　　　　　　　　　　　　　（8　執筆）
宮村　弘（工学部材料化学科　准教授）　　　　　　　　　　　　　　　　　（6　執筆）
加藤真一郎（工学部材料化学科　准教授）
河﨑　澄（工学部機械システム工学科　准教授）　　　　　　　　　　　　　（7　執筆）
安田孝宏（工学部機械システム工学科　准教授）　　　　　　　　　　　　　（8　執筆）
橋本宣慶（工学部機械システム工学科　准教授）
坂本眞一（工学部電子システム工学科　准教授）　　　　　　　　　　　　　（6　執筆）
服部　峻（工学部電子システム工学科　准教授）
市川秀之（人間文化学部地域文化学科　教授）　　　　　　　（12、13、14　共同執筆）
萩原　和（人間文化学部地域文化学科　准教授）　　　　　　　　（序、15　執筆）
櫻井悟史（人間文化学部地域文化学科　准教授）　　　　　　（12、13、14　共同執筆）
佐々木一泰（人間文化学部生活デザイン学科　准教授）　　　（12、13、14　共同執筆）
山田　歩（人間文化学部生活デザイン学科　准教授）　　　　（12、13、14　共同執筆）
大江由起（人間文化学部生活デザイン学科　講師）
田中大也（人間文化学部生活栄養学科　講師）
中村好孝（人間文化学部人間関係学科　講師）
山本　薫（人間文化学部国際コミュニケーション学科　准教授）
伊丹君和（人間看護学部人間看護学科　教授）　　　　　　　（4、5、コラム　共同執筆）
米田照美（人間看護学部人間看護学科　准教授）　　　　　　（4、5、コラム　共同執筆）
千田美紀子（人間看護学部人間看護学科　講師）
関　恵子（人間看護学部人間看護学科　講師）　　　　　　　（4、5　コラム　共同執筆）
鵜飼　修（地域共生センター　教授）　　（編集、序改訂、1、3、15、改訂、コラム　執筆）
上田洋平（地域共生センター　講師）　　　　　　　　　　　　　　　　　　（3　執筆）
秦　憲志（地域共生センター　主任調査研究員）

公立大学法人 滋賀県立大学 地域共生センター

　〒522-8533　滋賀県彦根市八坂町 2500　　TEL:0749-28-9851 FAX:0749-28-0220
　E-Mail:chiiki@office.usp.ac.jp

改訂新版　地域共生論　300人規模のアクティブラーニング

2024年 3 月 2 日発行

編　者　　滋賀県立大学地域共生論運営委員会
発行者　　岩根　順子
発行所　　サンライズ出版株式会社
　　　　　〒522-0004 滋賀県彦根市鳥居本町655-1
　　　　　TEL 0749-22-0627

印　刷　　サンライズ出版